Quando penso em uma mulher sábia logo me lembro da Devi. Sou grata a Deus, porque ela não guardou essa sabedoria somente para si ou para seus filhos e netos. Devi é comprometida em repartir as experiências que levaram seu lar e sua descendência a serem bem-sucedidos. Minha vida ministerial e, também, como mulher, esposa e mãe é marcada por sua sabedoria. Obrigada, Devi!

Ana Paula Valadão Bessa
Líder do ministério Diante do Trono

Deus levantou Devi Titus como mãe para milhares de mulheres em nossa nação. Com sabedoria e discernimento bíblicos, ela nos conduz gentilmente, pelas páginas deste precioso livro, a muitas possibilidades e a muitos frutos, que nascem da compreensão dos princípios divinos para a plenitude da nossa feminilidade e da obediência a eles.

Helena e João Tannure
Palestrantes itinerantes da Igreja Batista
da Lagoinha, em Belo Horizonte (MG)

Devi Titus é uma mentora por excelência. Milhares de pessoas em todo o mundo têm bebido da sabedoria que flui de sua vasta experiência como mulher, esposa e mãe, e também do seu relacionamento pessoal com Deus. Neste livro ela aborda de maneira bíblica e prática os desafios das mulheres de Deus num mundo em constante mudança, convocando-as a uma reflexão sobre escolhas, que precisam ser eternas. Sabedoria compartilhada com vida sempre transforma. Desfrute deste banquete, preparado com esmero por uma mulher de Deus que tem influenciado gerações.

MONICA E DAVI DE SOUSA
Pastores da Igreja Nova Aliança, em Londrina (PR)

Devi Titus é o tipo de pessoa que tem que viver mais de 100 anos! O mundo precisa de mais pessoas como ela. Temos sido alcançados por seu amor que não visa a receber algo em troca. Esse é o verdadeiro amor de Deus. O reflexo do caráter de Cristo em sua vida é estampado desde seu sorriso até o serviço ao próximo. Uma árvore se conhece pelos frutos, e o exemplo de fé, família e ministério que ela possui ainda vai alimentar muitas gerações.

NIARA SOUZA E MILTON EBENÉZER
Apóstolos da Primeira Igreja Batista
do Brasil, em Salvador (BA)

A mulher sábia edifica o lar é uma obra sensível e, ao mesmo tempo, esclarecedora para quem deseja entender o papel da mulher à luz das Escrituras. Com muita sabedoria, Devi Titus tem se levantado nesta geração como mulher segundo o coração de Deus. Suas revelações e experiências pessoais ministram em nossa vida de forma singular. Se você deseja mudanças profundas, recomendamos a leitura deste maravilhoso livro.

Roberta e Jocymar Fonseca
Pastores da Igreja Família da
Fé, em Campinas (SP)

DEVI TITUS

A MULHER SÁBIA EDIFICA O LAR

Guia prático para ter uma casa sempre feliz

Traduzido por CLEITON OLIVEIRA

Publicado por Editora Mundo Cristão

CIP-Brasil. Catalogação na publicação
Sindicato Nacional dos Editores de Livros, RJ

T541m

Titus, Devi
A mulher sábia edifica o lar: guia prático para ter uma casa sempre feliz / Devi Titus; tradução Cleiton Oliveira. - 1. ed. - São Paulo : Mundo Cristão, 2017.
160 p. ; 21 cm.

ISBN 978-85-433-0231-7

1. Espiritualidade. 2. Vida cristã. I. Oliveira, Cleiton. II. Título.

17-40000 CDD: 133.9
CDU: 133.9

Categoria: Família

Publicado no Brasil com todos os direitos reservados por:
Editora Mundo Cristão
Rua Antônio Carlos Tacconi, 69, São Paulo, SP, Brasil, CEP 04810-020
Telefone: (11) 2127-4147
www.mundocristao.com.br

1ª edição: julho de 2017
14ª reimpressão: 2025

Lembro-me do que significou levar nossos dois filhos ao altar para apresentá-los ao Senhor, dedicando-os a Deus quando ainda eram pequenos. Também presenciamos a apresentação de nossos netos e bisnetos, que igualmente foram dedicados ao Pai. Essas cerimônias foram declarações públicas de nosso compromisso familiar de ensinar-lhes o amor de Deus e de viver de maneira que nossos filhos também quisessem conhecer o Senhor.

Da mesma forma, dedico este livro a você e a todas as mulheres que me ouviram ensinar os princípios nele contidos em conferências e congressos, no púlpito de igrejas e na Internet. Recomendo que partam em busca da verdade, a fim de se tornarem pessoas cada vez melhores. Sinto-me honrada por ter a oportunidade de contribuir com sua vida. Você investiu o melhor de seus recursos, de seu tempo e dinheiro com a finalidade de se tornar alguém melhor a cada dia. E, mais uma vez, você comprou um livro em busca de aperfeiçoamento pessoal. Dedico a você cada verdade que explico nesta obra e cada exemplo que dou nas páginas a seguir.

Ao abraçar as verdades apresentadas
neste livro, a sua compreensão
aumentará e você poderá vivê-las
de formas que vão além de minhas
explicações. Com isso, Deus agirá nos
seus relacionamentos e em sua casa para
muito além do que você poderia sonhar!

Eu e meu marido apresentamos nossos
filhos a Deus pela fé, dedicando-os a
ele, e vivemos dia a dia as verdades
sagradas. O tempo passou e, agora, somos
testemunhas de que a vida familiar de
meus filhos, com seus cônjuges e nossos
netos, é repleta de alegria e amor, muito
além do que poderíamos imaginar.

Hoje, ponho-me no altar com você e
sua família em mente. Peço ao Senhor
que os abençoe em todos os seus
caminhos. Peço-lhe, ainda, que faça você
abraçar mais e mais o seu divino amor
e que tenha uma casa sempre feliz.

Sumário

Agradecimentos

Quero expressar minha profunda gratidão ao meu marido, Larry Titus, à nossa família e àqueles que tornaram possível a publicação deste livro. Minha família é grande e as mulheres são todas incríveis. Elas são piedosas e têm se dedicado a edificar lares felizes, ao mesmo tempo em que desenvolvem carreiras profissionais e ministérios significativos. Desejo mencionar especificamente duas delas.

Nossa filha, Trina Titus Lozano, que vive segundo os princípios expostos neste livro. Ela se dedica ao marido e à construção de uma casa feliz, cheia de amor, compaixão e perdão. Seu ministério de aconselhamento e preleções já ajudou milhares de pessoas. Sem sua devoção e suas escolhas orientadas pela Palavra, eu teria apenas teorias para ensinar, mas, por você ter depositado sua fé em Jesus, abraçado o casamento bíblico e escolhido vivenciar os valores familiares, tenho um exemplo que outros podem seguir. Seus filhos são piedosos e estão construindo famílias piedosas. Obrigada pela sua fidelidade ao Senhor e à sua família. Você é um exemplo amoroso em todos os sentidos.

Nossa nora, Kimberly Titus, que é professora universitária por profissão e esposa e mãe dedicada por opção. No trabalho, ela, que tem doutorado na área da Física, ilumina a mente dos jovens para que compreendam cálculos e algoritmos de programação. Em casa, ela é eficiente, cuidadosa e compassiva. Kimberly superou a decepção pessoal de ser criada em uma família dividida pelo divórcio e criou uma base sólida de amor e perdão no lar que construiu. Ela estende a mão para os pobres e os sem-teto. Além disso, cria um ambiente para que tanto seu marido possa viver com excelência como as filhas vivam de maneira virtuosa. Obrigada por sua fidelidade ao Senhor e pela inestimável contribuição à nossa família. Suas escolhas de vida me permitem falar a verdade, a partir de seu exemplo, para as próximas gerações.

Agradeço ao meu intérprete e diretor de ministérios globais, Felipe Hasegawa. Eu sou americana. Você é brasileiro. Sua devoção ao Senhor e ao nosso chamado para restaurar a dignidade e a santidade do lar em sua nação e em seu idioma vai além das minhas palavras. Obrigada pelo empenho e pelo exemplo piedoso de vida. Você não é apenas um empregado, é um homem de Deus. Sem a sua devoção, este livro não existiria. Eu o amo e lhe agradeço profundamente.

Por fim, agradeço à minha editora, Mundo Cristão. Sua visão e paixão por fortalecer as famílias em sua nação criou uma parceria perfeita para que nossa mensagem seja publicada. Obrigada por confiar e acreditar que, juntos, podemos fazer diferença. Serei eternamente grata.

Prefácio

Devi Titus. Se você já ouviu esse nome, sabe o que ele representa: dignidade e santidade no lar.

Devi não se limita a escrever livros, ela os vive. Antes que um livro alcance o estágio de publicação, ela já viveu cada princípio em sua vida pessoal. E não estou falando de alguns anos convicta de algo; é um compromisso de toda uma vida com os imutáveis princípios bíblicos.

A pesquisa é boa, importante e necessária, mas nunca pode substituir a experiência de uma pessoa que desenvolveu suas convicções no dia a dia. Nosso casamento e nossa família são a prova de que os princípios que Devi compartilha neste livro são poderosos e eficazes. Cada capítulo é o resultado do sistema de crenças que a guiou em cada passo ao longo de 53 anos de casamento, família e ministério.

A família é um laboratório como nenhum outro. Devi atua com louvor nesse ambiente, pois sabe produzir qualidade no casamento, na casa e junto aos filhos, netos e bisnetos. Posso garantir a estabilidade, sabedoria, perspicácia e veracidade de seu ensino. Cada membro de nossa família carrega o DNA de Devi do sólido ensino bíblico, que pode tornar forte qualquer casamento ou família.

Caminhar diariamente no temor do Senhor ao longo de quatro gerações deu a Devi uma vida repleta de sabedoria, que ela deseja compartilhar generosamente com você.

Como marido, posso assegurar-lhe que este livro vai transformar seu casamento, sua família e seu lar por gerações, porque transformou os nossos. Devi é para mim a mulher sábia que edificou por 53 anos o lar e o matrimônio. Ela os construiu, passo a passo, com sabedoria, exemplo bíblico, consistência e forte treinamento e convicção na Palavra de Deus.

Eu nunca precisei exigir respeito e honra de Devi, porque ela espontaneamente me trata de forma respeitosa e honrada. Ela jamais minou minha autoridade junto a nossos filhos. Tampouco se opôs à minha visão e direção, mas me apoia com confiança e concordância. Minha visão sempre foi sua visão. Meus objetivos são seus objetivos. Ela sempre me fortaleceu e jamais me derrubou. Sinto-me valorizado, porque ela espontaneamente me valoriza.

Construímos juntos três gerações de descendentes piedosos. Devi, exemplo de mulher sábia, edificou seu lar e, após todas essas décadas, nossa casa permanece sólida. Não tenho dúvidas de que, se você praticar os princípios compartilhados neste livro, eles farão o mesmo por sua família e seu casamento. Você será a mulher sábia que edifica seu lar e as gerações futuras a chamarão de "abençoada".

Larry Titus
Preletor, escritor e marido de Devi Titus

A mulher sábia edifica o lar,
mas a insensata o destrói
com as próprias mãos.

PROVÉRBIOS 14.1

Introdução

Nasci em um lar cristão. Meus pais frequentavam a igreja e, por isso, eu e meu irmão não tivemos escolha senão fazer o mesmo. Eu tinha 15 anos quando me comprometi a seguir Cristo e manter-me fiel aos princípios bíblicos. Alguns anos depois, casei-me com Larry Titus, que mostrou ser alguém não apenas chamado ao ministério de Cristo, mas comprometido com essa missão. Ele havia frequentado o seminário teológico e, quando nos casamos, servia ao Senhor em tempo integral. Foi por meio do aprendizado sobre Deus que minha jornada pessoal teve início.

Neste livro, apresento princípios bíblicos que aprendi em minha caminhada com o Senhor e que me ensinaram a ser uma mulher que usa a sabedoria para edificar o lar. Nas próximas páginas, você aprenderá meios de desenvolver essa capacidade a partir dos ensinamentos bíblicos. Se aplicados na prática, eles a ajudarão a ter um lar pleno, feliz e abençoado.

O lar é a instituição que Deus criou para formar o coração humano. O coração de cada pessoa em uma família pode ser ferido e endurecido ou pode ser feito seguro e sensível. Cada coração seguro, cheio de amor e paz, equivale a uma pessoa que pode florescer. A atmosfera familiar de amor e paz satisfará as necessidades emocionais essenciais que o Senhor estabeleceu. Deus é amor. Jesus é o Príncipe da Paz. Vocês foram criadas para conhecer o amor de Deus e experimentar a paz que Jesus traz.

Escrevi este livro motivada pela percepção de que muitas mulheres estão se perdendo no que se refere a viver plenamente a sabedoria que Deus espera delas. Em nossos dias, existe uma enorme pressão social e espiritual para que haja mudanças perigosas em conceitos importantíssimos para a saúde do lar. Infelizmente, essas mudanças têm alcançado de modo negativo muitas mulheres cristãs. Mas a Palavra de Deus é viva e não muda. Por isso, desejo mostrar como o Senhor nos orienta a ser o que ele deseja que sejamos e, com isso, demonstra seu cuidado e seu amor por nós, mulheres.

Convido você a mergulhar neste universo de ensinamentos bíblicos com a certeza de que, ao final desta leitura, você terá um entendimento muito maior das orientações divinas para nós, mulheres. Com isso, estou segura de que você poderá ser uma bênção ainda maior em todos os lugares em que estiver, em especial, no seu lar.

Peço a Deus que esta leitura a edifique grandemente, para que você possa edificar aqueles que estão à sua volta. Minha oração é que os princípios que apresento neste livro a ajudem a ser cada vez mais sábia e, com isso, parte ativa e fundamental da construção de um lar edificado sobre a rocha sólida do amor cristão.

Boa leitura!

1

Mulher: criada à imagem de Deus

A Palavra de Deus mostra, sem sombra de dúvida, como a influência de uma mulher é grande. Isso fica claro em passagens como "A mulher virtuosa coroa de honra seu marido, mas a que age vergonhosamente é como câncer em seus ossos" (Pv 12.4). Essa é uma afirmação muito forte! A mulher pode ser aquilo que traz honra a seu marido ou algo que apodrece seus ossos. Sim, a mulher tem esse poder, como consequência de como Deus a criou: à sua imagem. "Assim, Deus criou os seres humanos à sua própria imagem, à imagem de Deus os criou; homem e mulher os criou" (Gn 1.27). Em outras palavras, isso significa que o Criador formou suas criaturas como réplicas de si mesmo. Infelizmente, devido ao pecado, temos comportamentos imperfeitos.

Deus criou homem e mulher para que experimentassem a vida em plenitude. O Senhor os trouxe à existência e estabeleceu o domínio deles sobre as coisas criadas. Além disso, lhes deu como lugar de habitação o Éden, jardim extenso que oferecia tudo de que precisavam para viver. Ele também pôs no meio desse paraíso terrestre duas árvores: a da vida e a do conhecimento do bem e do mal, o que acabou levando ao primeiro *não* do Senhor para a humanidade. Deus disse que homem e mulher poderiam comer todo tipo de fruto, menos aquele que os faria conhecer o mal. Ele permitiu que a humanidade o conhecesse, mas não ao mal. O diabo já tinha feito as suas obras más; por isso, o mal já existia. O Senhor, porém, não queria que o conhecêssemos. Infelizmente, a queda fez a humanidade ver-se distante da imagem de Deus em decorrência da entrada do pecado em seu coração. Com isso, o diabo marcou um ponto com a humanidade.

Quando Jesus, o Filho de Deus, decidiu vir à terra, encarnou em forma humana. É como se ele dissesse: "Vou pôr em prática o plano de redenção para a humanidade. Encarnarei na forma de homem, viverei entre os homens e mostrarei a eles como sua vida pode ser redimida e restaurada ao conformar-se à minha natureza e, assim, tornando-se réplicas minhas". Sim, somos réplicas espirituais de Deus. Em Cristo, o Senhor marcou o ponto decisivo com toda a humanidade.

Mulher, você não se encontra em si mesma, mas em Deus, pois é um ser espiritual, uma réplica dele. Se não entendermos isso, não entenderemos como exercer autoridade e ser produtivas aos olhos do Senhor. Desejo mostrar-lhe que alguns atributos de Deus replicam-se em você, uma vez que foi feita à imagem dele.

Primeiro, Deus é reto. Seu caráter é a base para toda moralidade, lei e ética, e nosso atributo humano para isso é a consciência. Temos um profundo senso de que Deus existe e uma percepção inata de certo e errado.

Segundo, Deus é justo, e sua justiça prevalece. Ele pune quem pratica o mal e recompensa os que vivem de acordo com o bem. Algumas pessoas dizem que o Senhor não puniria o mal, pois "Deus é bom e não faria isso". Tal pensamento não leva em conta que o Senhor é justo e, desde o princípio, estabeleceu o justo julgamento. Muitas pessoas têm em si um profundo senso de que existe um grande poder. Elas podem não saber chamar esse poder de Deus ou de Jesus; elas podem estar em um lugar tão liberal que no seu intelecto decidiram não nomear esse "poder", mas, no fundo, desde o início dos tempos, temos um profundo senso de justiça e isso permanece em nossa consciência.

Terceiro, Deus é amor. O Deus que ama sempre faz o melhor por suas criaturas. O atributo humano para o amor de Deus é a capacidade de amar, de se alegrar, de sentir misericórdia, de se maravilhar. E assim por diante.

O entendimento de que você carrega em si a *imago Dei*, a imagem de Deus, permitirá que você compreenda quem é enquanto mulher, porque você foi verdadeiramente criada com capacidades especiais. Fomos criadas à imagem do Senhor e ele assim nos fez com a habilidade de desfrutar em nossa vida de qualidades divinas, evidentemente dimensionadas para o plano humano. Com isso em mente, deixe-me perguntar: qual é o propósito da sua vida? Será que você está vivendo segundo os planos de Deus? Você vive com o entendimento de que foi criada à imagem do Criador?

> *O entendimento de que você carrega em si a* imago Dei, *a imagem de Deus, permitirá que você compreenda quem é enquanto mulher, porque você foi verdadeiramente criada com capacidades especiais.*

Na terra, temos alguns compromissos como mulheres, como submeter-nos, governar e subjugar.

Veja: "Então Deus os abençoou e disse: 'Sejam férteis e multipliquem-se. Encham e governem a terra. Dominem sobre os peixes do mar, sobre as aves do céu e sobre todos os animais que rastejam pelo chão'" (Gn 1.28). Lembre-se de que Deus criou macho e fêmea, e essas instruções são para ambos.

Todos devemos ser submissos, em graus diferentes. Toda pessoa sempre é submissa a alguém, em alguma questão, em algum lugar. Por exemplo: se você dirige, tem de se submeter às leis do trânsito. Em muitas áreas da vida, você se submete, então nunca pense que é uma mulher absolutamente livre e independente, isso é uma mentira do pensamento radical feminista. Insubmissão não é para você, que vive em sociedade. As Escrituras ensinam que temos de nos submeter uns aos outros, pois é um ato de honra e respeito àqueles que estão ao redor. No âmbito familiar, o marido é o cabeça da esposa e nós lhe somos submissas. Creio nessa doutrina com todas as minhas forças. Porém, algo aconteceu na mentalidade de muitas mulheres, que perderam o senso de identidade de quem elas são em Cristo. A mulher não pode abdicar de fazer o que Deus designou-lhe que fizesse, culpando o marido. Em outras palavras, não podemos pôr nas costas do esposo o que é nossa responsabilidade. Lembre-se de que Deus ordenou ao homem e à mulher que governassem, subjugassem e se reproduzissem. Eles tinham de ser produtivos. Deus não disse somente a Adão "você governa" e a Eva "você escuta e faz cegamente o que Adão disser"; não!

Falemos sobre governar. Se Deus disse a nós, mulheres, criadas à sua imagem, que devemos governar, o que isso significa? Governar significa tomar decisões, considerando o rumo e o destino. Algumas mulheres pensam que governar significa controlar e dominar, mas não se trata disso. Deus lhe deu autoridade e a comissionou para ser alguém que toma decisões. Se é casada, você pode e deve governar, obtendo as informações necessárias para certas tomadas de decisão, porém, essa decisão deve ser submetida ao esposo, que é outra autoridade no lar. Isso não significa que você não buscará informações, que não procura saber o que está acontecendo ou que dirá aos filhos que as decisões devem ser tomadas unicamente pelo pai. Nada disso. Se você tomou uma decisão, deve apresentar os fatos ao seu esposo, e ele dirá: "Sabe de uma coisa? Isso está certo" ou "Eu sei que as informações que coletou estão corretas, mas, dada essa situação, não devemos proceder dessa forma". Você faz tudo o que é necessário, mas a palavra final é dele.

Ser uma mulher submissa exigiu de mim 53 anos de honra e respeito ao meu marido, submetendo-me a ele, escolhendo um papel subordinado ao dele. Meu marido não é responsável por mim. Minha aceitação da autoridade que Deus me deu para assumir a responsabilidade em meu lar é o que me faz crescer e me desenvolver como uma mulher de caráter; é o que me dá segurança, sabendo quem eu sou em Deus: um ser criado à sua imagem. É a capacidade que Deus me deu que me permite submeter-me ao meu esposo sem perder a minha identidade. Se você não atua como alguém que governa, então não saberá quem é, não será produtiva em seu lar e não crescerá em Cristo.

O ato de governar inclui tomar decisões sem ser dominadora.

Deus ordenou ainda que subjugássemos a terra, controlando-a de forma diligente e cuidadosa. Se governar é tomar decisões, subjugar é controlar de forma diligente e cuidadosa. Alguns podem pensar que governar é dominar e subjugar é acalmar. Naturalmente, um espírito submisso é um espírito calmo, quando as coisas estão sob controle. Subjugar é assumir a autoridade que Deus lhe deu como ser criado à sua imagem, de tal forma que você percebe que ao seu redor e no seu ambiente há necessidades que precisam ser postas em ordem.

Autocontrole

Com o passar do tempo, algumas palavras são tiradas de seu contexto e esvaziadas de seu sentido real. Foi o que aconteceu com a palavra *controle*. Em nossos dias, não podemos utilizá-la sem que as pessoas a vejam de forma negativa. No entanto, precisamos estar sob controle! O autocontrole, ou domínio próprio, é uma das virtudes do fruto do Espírito, porque faz parte da natureza de Deus, de sua personalidade. Quando vivemos de acordo com a vontade de Deus, as partes que estão fora de controle se tornam submissas. Deus lhe deu capacidade para isso. Por exemplo, quando você está em seu lar, o caos traz cansaço e estresse. Subjugar a falta de controle e colocar a situação em ordem traz paz e relaxamento. Você pode sentir a tensão ir embora quando as coisas ficam em ordem.

> *[...] quando você está em seu lar, o caos traz cansaço e estresse. Subjugar a falta de controle e colocar a situação em ordem traz paz e relaxamento. Você pode sentir a tensão ir embora quando as coisas ficam em ordem.*

Larry e eu vivemos por doze anos em uma casa antiga, construída em 1930. Anexo ao quarto principal havia um quartinho menor, talvez idealizado para ser usado por uma enfermeira ou babá. Eu transformei esse quarto secundário em um *closet*. Às vezes, o *closet* ficava uma bagunça. Certa vez, entrei ali e tudo estava revirado, com sapatos no chão e malas por arrumar. Pensei: "Misericórdia, este lugar precisa ser subjugado!". Entende o que isso quer dizer?

Quando nosso filho estava na quarta série, minha família se mudou para o Texas. Percebi que ele estava tendo problemas na escola. Investigando a situação cuidadosamente, descobri que sua professora gritava muito, como forma de subjugar a classe. O problema é que ela subjugava a classe criando caos. Para fazer que as crianças ficassem sob controle, ela gritava com elas, falando, por exemplo, "Todo mundo sentado, agora!". Se algum aluno se levantava para apontar o lápis na lixeira, por exemplo, ela gritava: "Eu disse para se sentar e não para apontar o lápis!". Essa era a forma como ela se comunicava com os alunos.

Procurei conversar com o diretor e com a professora. Assim que comecei a falar, observei a classe e percebi como era o estilo da professora. Ela amava as crianças, que estavam aprendendo; e ela era ótima com a didática. Seu estilo de se comunicar, porém, baseado em gritos, estava criando caos, e isso afetava as crianças de forma negativa.

Meu filho nunca tinha ouvido ninguém gritar com ele, por isso, o estilo da professora o impactou bastante. Você poderia indagar como é possível uma mãe nunca ter gritado com o filho até ele completar 10 anos. Quando fico nervosa ou frustrada, quando estou governando e subjugando, meu estilo não é volume. Meu estilo é dizer, lentamente: "Você não fará isso novamente. Está me entendendo?". É desse jeito que faço. Mas a professora gritava muito! E isso causava muito incômodo, como quando eu entrava em meu *closet*. Não queremos estar em um lugar onde há caos. Tenho certeza de que você está se lembrando neste momento de áreas sob seu domínio que precisam ser subjugadas, porque onde há confusão há todo tipo de problema. Fui falar com a professora e lhe expliquei a situação, sem acusações, sem condenação, somente relatei o que estava havendo: "Este é um ambiente novo para ele, que não está lidando bem com isso". E, a partir daí, tudo se resolveu, com o estabelecimento do autocontrole.

Nenhum de nós, seres humanos, sabe lidar com situações caóticas. Por quê? Por causa do jeito como fomos criados; não fomos feitos para o caos. Porém, quanto mais longe de Deus ficamos em nossa cultura, mais caóticos nos tornamos. Deus nos criou para a ordem, para a paz.

Vamos orar

Pai,

obrigada por me teres feito à tua imagem e semelhança. Que outro Deus faria isso por suas filhas? Que outro Deus me concederia refletir seus atributos? Só tu, Senhor, és o Rei da Glória, que domina sobre minha vida, sobre esta terra e sobre os confins da terra. Grata sou por minha vida, pelos dias que tu me dás e pela oportunidade de me aperfeiçoar em amor. Ajuda-me a pensar e a agir sempre como Cristo, com autocontrole e busca constante da paz.

Em nome dele eu oro. Amém.

Para refletir

1. O que significa para você saber que a mulher não é somente uma réplica humana, mas uma réplica espiritual de Deus?

____

____

____

____

2. Se Deus deu a você autoridade e a comissionou para ser alguém que toma decisões, de que maneiras o seu papel de mulher que edifica o lar tem influenciado seu casamento?

____

____

____

____

3. Que áreas de sua vida estão caóticas? O que você deve fazer para trazer a paz onde hoje há caos?

____

____

____

____

2

O propósito de Deus na vida da mulher criada à sua imagem

Deus criou a mulher para a paz. Como seres criados à imagem do Senhor, fomos feitas para produzir, atribuir valor a nossos domínios e multiplicar, crescendo e expandindo em todas as áreas da vida. Deus capacitou o homem e a mulher para a produtividade e, desde os primórdios, o Senhor criou a terra para o ser humano e estabeleceu que ele teria domínio sobre o que estaria ao redor. Disse também que queria que fôssemos produtivos, quando ordenou: "Sejam férteis e multipliquem-se. Encham e governem a terra. Dominem sobre os peixes do mar, sobre as aves do céu e sobre todos os animais que rastejam pelo chão" (Gn 1.28). Ele estava dizendo, além do sentido literal: "Eu quero que você multiplique seus dons e talentos e seu intelecto. Desejo que você cresça em seus relacionamentos, em suas atitudes. Quero que você vá além, que não permaneça do mesmo jeito".

Com isso, Deus estabeleceu para nós um curso de crescimento e de progresso, e não de regressão. Os propósitos de Deus para nossa vida são inegociáveis. Permita-se estar no centro da vontade dele, para a concretização dos planos que ele deseja realizar por seu intermédio. São planos de paz, de fazê-la prosperar, de crescimento e progresso. O nosso Deus não é Deus de regressão, mas de progressão!

A multiplicação para a qual Deus nos criou não se refere apenas a ter filhos. O Senhor quer que multipliquemos em todas as áreas. Ele nos capacitou para isso e nos deu a responsabilidade, a capacidade e a autoridade necessárias para realizarmos seu intuito. Deus não espera que você faça ou seja nada que ele não a tenha capacitado para ser ou fazer. O Espírito Santo é suficiente para modificar a sua vida, a fim de conduzi-la ao nível seguinte e mais elevado de liberdade.

Quero desafiá-la por um minuto a crescer constantemente e, para isso, gostaria de falar sobre Jezabel. A Bíblia nos conta que ela era uma mulher importante, filha de um rei e esposa de outro rei, mas que não tinha uma postura correta ao governar a sua propriedade. Ela era filha do rei de Sidom, nação localizada a noroeste de Israel. Seu pai não era apenas o rei, mas, também, um alto sacerdote de Baal. Jezabel tinha uma intensa devoção a Baal e isso resultou em grande endurecimento de seu coração e sua consciência. Se você adora qualquer coisa além do Deus vivo — uma imagem de escultura, a sua posição profissional, o seu *status* social, seus bens materiais, sua casa, seus móveis, seu carro, o prestígio no meio que frequenta, qualquer coisa que o dinheiro pode comprar —, na verdade está adorando um ídolo. É como se você prestasse adoração a Baal. E sabe o que isso provoca? Cauterização da mente. Quando sua consciência está cauterizada, você faz coisas que jamais imaginaria.

Jezabel possuía dons tremendos. Tinha, por exemplo, forte convicção espiritual (infelizmente, direcionada a um falso deus). Também era decidida. Tinha propósitos e era dedicada à sua causa. Fazendo um paralelo, eu gostaria de lhe perguntar: quanto você é dedicada aos propósitos que o Deus verdadeiro lhe deu? Quanto você é dedicada à edificação do seu lar?

Perceba que Jezabel não errou por seguir os propósitos em que acreditava, mas por ter escolhido os propósitos errados. Sua consciência estava cauterizada e, por isso, sua vida ficou cheia de paganismo, rebelião, assassinato, adultério e imoralidade. E quanto a você? Se você não tem agido em seu lar de acordo com os propósitos que Deus estabeleceu para sua vida é porque sua consciência está cauterizada, sua afeição está em outro lugar, falta a convicção do Espírito Santo. A forma como você utiliza sua energia, seus dons e talentos pode literalmente conduzir seus filhos à imoralidade, e você talvez nem perceba isso. Quando a sua consciência cauteriza e você perde a sensibilidade de ouvir o que Deus está lhe falando, você sai da posição que o Senhor estabeleceu para você.

Temos de ser muito cuidadosas com o espírito de Jezabel, isto é, essa forma de proceder a partir de uma consciência cauterizada e surda aos desígnios do Deus verdadeiro. O espírito de Jezabel valoriza tradições familiares que estão em desacordo com os valores da Palavra. Talvez você tenha crescido em uma família que caminhava distante dos ideais do evangelho, com uma visão de mundo diferente da de Cristo, pagã. Talvez você acredite que sucesso é sinônimo de dinheiro, graus universitários, prestígio, segurança e outros fatores que não

Se você não tem agido em seu lar de acordo com os propósitos que Deus estabeleceu para sua vida é porque sua consciência está cauterizada, sua afeição está em outro lugar, falta a convicção do Espírito Santo.

necessariamente são bíblicos. Se isso ocorre, quando sua filha de 17 anos disser que não quer ir para a faculdade no ano seguinte mas deseja estudar teologia, qual será a sua reação? E se ela disser: "Quero me inscrever em algum tipo de trabalho missionário. Não tenho certeza do que quero fazer e estou com vontade de experimentar isso"? Por um lado, você pode pensar que isso seria maravilhoso, mas, por outro, pode pensar que a ideia dela é absurda, afinal, se ela não se formar e arranjar um emprego logo, seria sinônimo de fracasso! Será?

Se entre seus propósitos de vida o cumprimento de desejos pessoais estiver acima do que Deus a chamou para fazer, você não só estará adorando Baal como dirigirá seus filhos e aqueles que estiverem em sua esfera de influência a também adorá-lo. Nós somos as donas de nossa propriedade, de nosso lar. Jezabel foi uma injusta dona de sua propriedade, e isso foi passado para quatro gerações, com imoralidade, sensualidade, idolatria e rebelião.

Propósitos equivocados

O radicalismo feminista tem desvalorizado nosso lar, nossa propriedade, nossa vida e tem levantado a bandeira de valores diferentes dos que são próprios para nós, mulheres criadas à imagem de Deus que desejam ser edificadoras do lar. Além disso, somos constantemente bombardeadas por valores fundamentais para a vida corporativa, mas que desvalorizam o lugar que Deus estabeleceu para nós.

Há algum tempo, comecei a usar um creme hormonal natural para a pele. É interessante que a pele permite que o creme seja absorvido e entre na corrente sanguínea, equilibrando os níveis hormonais. Tudo isso apenas por aplicação sobre a pele. Consigo traçar um paralelo entre a ação desse tipo de creme e o que as atitudes radicais feministas têm provocado. Os valores desse movimento são como aplicações na pele, que acabam penetrando sutilmente em nosso sistema, vencendo nossas defesas e se arraigando em nossa consciência, em nossos valores, em nossa tomada de decisões, na forma como governamos, na falta de submissão em nossa vida. Assim, influenciadas por algo externo ao evangelho, acabamos buscando ser produtivas nos lugares errados.

Isso tem prejudicado não apenas o nosso papel como mulheres que devem cumprir os propósitos de Deus, mas tem, também, influenciado a próxima geração, que acaba assimilando tais valores por nosso intermédio. Qual situação é pior, afinal? A da agressiva Jezabel, que seguia um falso deus e desperdiçou seus dons e talentos como uma governante injusta, ou a das mulheres que acabam sendo complacentes, não reconhecem os valores divinos e, por isso, deixam de governar, submeter-se e produzir? E você, será que se identifica com essa situação?

Ao fazer sua reflexão, pense sobre o que você deveria fazer para se organizar, a fim de cumprir os propósitos de Deus. No seu lar, se você quer edificá-lo, deve governar e subjugar seus animais de estimação, seu computador, a Internet, as redes sociais... tudo! Será que você trata seu gato melhor que seu marido? E o computador, quanto tempo você passa nele? Quem recebe mais a sua atenção, os filhos ou as redes sociais? Se você prioriza o que Deus não quer que seja prioridade em sua vida, está negligenciando a necessidade de subjugar o que está sob seu domínio, pondo em ordem o ambiente ao seu redor. Isso deve se aplicar a suas posições, finanças e atitudes; aos seus bens e relacionamentos familiares... a tudo o que faz parte da vida do seu lar.

Você nunca será uma mulher sábia que edifica o seu lar até entender a autoridade que Deus lhe deu para governar, subjugar e produzir, autoridade baseada no fato de você ter sido criada à imagem do Senhor. Esse é o propósito amplo dele para a mulher sábia que edifica o lar. A humanidade caiu, isso é um fato, mas Deus nos redimiu e nos trouxe à sua amizade. É por meio dessa redenção que vem o exercício prático de todas as capacidades que Deus originalmente nos deu e que nos foram roubadas.

Todas teremos de comparecer diante do trono de Cristo, e ele recompensará cada uma pelo que fizemos, de forma boa ou ruim. Isso significa que você encontrará um justo juiz que condena o mal e recompensa o bem. Diante disso, preciso perguntar: no dia em que você estiver frente a frente com ele, o que responderá quando ele lhe perguntar como você cumpriu o propósito de administrar o seu lar?

Vamos orar

Único Deus da minha vida,

em ti confio e a ti entrego-me totalmente. Desejo devotar-te meus dons e talentos, a fim de cumprir os teus propósitos em minha vida. A ti rendo graças por tudo que tens feito por mim. Agradeço por minha vida, minha casa, meu trabalho, minha família, meus amigos, tudo aquilo, enfim, que pões em minha vida de forma muito especial. Ajuda-me a cumprir teus propósitos sem perder o foco do que realmente importa.

Em nome do teu filho Jesus eu oro. Amém.

Para refletir

1. Talvez você não saiba como se portar diante dos propósitos de Deus para sua vida. Ponha-se inteiramente diante do Senhor e reflita como pode ser produtiva de acordo com os ideais bíblicos.

____

____

____

____

2. Como é sua relação com os bens materiais e aquilo que a sociedade advoga ser sinônimo de sucesso? Será que você não tem adorado ídolos?

____

____

____

____

3. Temos vivido dias em que o papel da mulher na sociedade tem sido confundido no que se refere a como governamos, à falta de submissão em nossa vida, ao objeto de dedicação de nossa produtividade. Você se identifica com isso? Em caso positivo, o que pretende fazer a respeito?

____

____

____

____

3

A busca pela sabedoria

Temos falado sobre a importância de a mulher ser sábia e é fundamental compreender exatamente as implicações disso. O conceito de sabedoria pressupõe discernimento, critério, prudência. Deus nos criou com essas qualidades para podermos fazer julgamentos sábios. A Bíblia diz: "Eu, a Sabedoria, moro com a prudência; sei onde encontrar conhecimento e discernimento" (Pv 8.12). Portanto, se somos mulheres sábias, seremos prudentes e estaremos aptas a discernir, a fazer julgamentos positivos.

Os dicionários definem "sabedoria" como a habilidade de ver além de uma situação, de considerar e perceber os resultados a longo prazo. Ter sabedoria nos dá a oportunidade de ver além. Se olharmos para as Escrituras, veremos que a mulher sábia é alguém que está em ação, isto é, ela pratica ações que demonstram sua sabedoria e que, com determinação, a fazem dar um novo rumo à vida.

A Bíblia diz que a sabedoria sempre inclui conhecimento, compreensão e disciplina. O propósito dos provérbios é ensinar às pessoas sabedoria e disciplina e ajudá-las a entender como fazer o que é certo e justo. Eles dão novas percepções, conhecimento e discernimento. À medida que ganhamos conhecimento e entendemos o que sabemos, então aplicamos esse conhecimento às nossas decisões de maneira sábia. Somente os tolos não podem ser ensinados e desprezam a sabedoria e a disciplina (minha paráfrase de Provérbios 1.2-7)

Deixe-me dar um exemplo de quão importante é agir segundo o exemplo do próprio Cristo. Mateus descreve as horas que precederam a crucificação de Jesus. Ele foi ao Getsêmani em agonia, sentindo a dor do processo que teria de enfrentar. Jesus começou a sentir uma tristeza profunda e angústia. "Então Jesus foi com eles a um lugar chamado Getsêmani e disse: 'Sentem-se aqui enquanto vou ali orar'. Levou consigo Pedro e os dois filhos de Zebedeu e começou a ficar triste e angustiado. 'Minha alma está profundamente triste, a ponto de morrer', disse ele. 'Fiquem aqui e vigiem comigo'" (Mt 26.36-38).

Naquele momento, Jesus busca paz de espírito na oração. "Meu Pai! Se for possível, afasta de mim este cálice" (v. 39). O que isso significa? Essa expressão não é muito comum em nossa língua, mas, no contexto da época, o pedido de Cristo queria dizer algo como: "Pai, se o Senhor mudar de ideia sobre o que está para acontecer, eu ficarei satisfeito. Entendo qual era o meu propósito quando o Senhor me enviou para esta terra e eu assumi este corpo mortal; fiz isso com vontade e cumpri completamente o meu dever, mas a dor do que estou prestes a enfrentar é muito grande, especialmente porque ficarei separado de ti". Jesus começou a ficar aterrorizado e perguntou ao Pai se era possível uma mudança de planos. Naquele ponto, de tão desesperado, suas palavras queriam dizer: "A mudança de planos é o que eu desejaria; eu gostaria que o Senhor fizesse de outra maneira. Estou angustiado. Por favor, se possível, passe de mim esse cálice. No entanto, não seja feita a minha vontade, mas a tua". O que fez Jesus? Apresentou ao Pai seu medo, sua angústia, sua dor. Ele se posicionou, se moveu. Em outras palavras: *agiu*.

Jesus poderia não ter apresentado seus sentimentos ao Pai, mas escolheu falar, se abrir, derramar o que se passava dentro do peito. Essa é uma atitude muito importante em nosso relacionamento com Deus. E, acima de tudo, é uma demonstração de sabedoria.

Você pode ser desafiada por uma crise, e o seu medo talvez a force a tomar atitudes desesperadas, mas sua vontade a motivará e mobilizará, permitindo-lhe pensar e dando-lhe força para livrar-se da dor e do medo. A sua sabedoria a fará agir de forma bíblica e correta. Sabedoria e ação: uma dupla indispensável para a mulher cristã.

A Bíblia orienta: "Se algum de vocês precisar de sabedoria, peça a nosso Deus generoso, e receberá. Ele não os repreenderá por pedirem" (Tg 1.5). Você está enfrentando uma situação difícil? Está para tomar uma decisão e não sabe que rumo seguir? Peça sabedoria a Deus. A primeira coisa que temos de fazer, se quisermos ser mulheres sábias e estar aptas para fazer escolhas sábias, é alinhar nossa vontade à de Deus e pedir sabedoria a ele. Por vezes temos receio de perguntar a Deus, pois não necessariamente estamos desejosas de fazer a sua vontade e, por essa razão, não falamos com ele. No entanto, isso nos faz tomar decisões erradas, que produzirão sofrimento.

Jesus disse: "Nem todos que me chamam: 'Senhor! Senhor!' entrarão no reino dos céus, mas apenas aqueles que, de fato, fazem a vontade de meu Pai, que está no céu" (Mt 7.21). Você pode ter crescido na igreja, ter dito "Senhor, Senhor" por toda a vida e, ainda assim, ser desobediente a Deus. Fazer a vontade de Deus tampouco tem a ver com ir à igreja, necessariamente. Uma grande razão de você ir à igreja é para aprender e estar apta a fazer a vontade de Deus e prestar-lhe culto e adoração. Outra razão para ir à igreja é se reunir com irmãos na fé e celebrar, juntos, o que Deus opera na vida de cada um, com base na relação que têm com ele. Você pode dormir a vida toda na garagem de sua casa e, ainda assim, não se transformará em um carro; do mesmo modo, você pode viver a vida inteira na igreja e, ainda assim, não entrar no reino dos céus. É necessário fazer a vontade de Deus, estar no centro dessa vontade. Uma das decisões mais sábias que você pode tomar é estar alinhada à vontade de Pai.

Você está enfrentando uma situação difícil? Está para tomar uma decisão e não sabe que rumo seguir? Peça sabedoria a Deus. A primeira coisa que temos de fazer, se quisermos ser mulheres sábias e estar aptas para fazer escolhas sábias, é alinhar nossa vontade à de Deus e pedir sabedoria a ele.

Uma mulher sábia sabe ouvir. Como costumo dizer, a sabedoria tem ouvidos. A sabedoria ouve com atenção. A relação é muito simples: primeiro, nós ouvimos; em seguida, refletimos; e por fim recebemos *insights*. A sabedoria gosta de aprender: ela ouve para aprender de outras pessoas. Portanto, a mulher sábia ouve. E ouve não apenas as pessoas, os amigos, a família, os líderes e os confidentes, mas ouve também as vozes que falam dentro de si. Você entende isso? Há várias vozes que falam em seu interior e, se você for sábia, dará ouvido a elas, com discernimento.

Discernindo as vozes interiores

Certa vez, minha neta de 8 anos estava em minha casa na época do Natal. Ela adorava fazer pacotes e enfeites. De repente, me perguntou: "Vovó, posso ajudar?". Eu lhe disse que sim e lhe dei um dinheirinho para me ajudar a embrulhar os presentes. Ela foi, então, ao porão, pois lá havia uma mesa cheia com os materiais de que precisava, e começou a embrulhar. Eu tinha os presentes todos preparados com as etiquetas e os nomes de quem iria ganhá-los. As caixas estavam todas fechadas. Minha neta voltou após uma hora, depois de ter trabalhado duro, e lhe perguntei:

— Terminou?

— Sim — respondeu.

— Você viu alguma caixa com seu nome escrito?

— Sim — balançou a cabeça, em sinal de confirmação.

— Você a pegou?

— Não, vovó. Até comecei a bisbilhotar, mas logo parei.

— O que levou você a querer olhar?

— Bem, havia uma pequena voz em meu interior que me dizia: "Você pode olhar para ver o que há em seu pacote e ninguém saberá".

Foi quando eu disse:

— Sério? Uma voz em seu interior?

Aproveitei o momento para transmitir-lhe uma lição.

— Você realmente ouviu uma voz em seu interior?

— Sim! A voz disse: "Você pode olhar para ver o que há em seu pacote e ninguém saberá".

Então lhe perguntei:

— E o que você fez? Por que não olhou?

— Porque eu respondi para a voz: "Não importa se ninguém saberá, eu não vou olhar o que há no pacote".

Há vozes em nosso interior que uma mulher sábia ouve. Sabe aquela imagem que aparece em desenhos animados e filmes, de um demônio e um anjo perto de seus ouvidos, cada um de um lado, dizendo coisas opostas? De certa forma, essa ilustração é verdadeira. Essas duas vozes falam conosco o tempo todo. O inimigo tenta encapsular a sua alma e mantê-la no padrão destrutivo, porque ele não quer que você tenha sucesso, amor, nem liberdade em sua vida. E, claro, isso não vem de Deus, pois ele é amor. O Senhor se agrada de seu amor e não quer que o divida com ninguém e com nada mais. Deus fala constantemente ao nosso coração, e uma mulher sábia discerne sua voz e sabe diferenciá-la da voz do inimigo. E, se sabe que é Deus quem lhe fala, ela responde e se alinha à vontade e à voz de Deus.

Deus constantemente fala ao nosso coração, e uma mulher sábia discerne sua voz e sabe diferenciá-la da voz do inimigo. E, se sabe que é Deus quem lhe fala, ela responde e se alinha à vontade e à voz de Deus.

Quando meu marido e eu começamos a viajar devido a necessidades ministeriais, fomos a lugares que nunca imaginei quando mais nova. Eu cresci em uma cidade pequena, com muito poucos habitantes, e não fazia ideia de que correria o mundo pregando o evangelho de Cristo. Em nossas viagens, sempre reservamos uma pequena quantia em dinheiro para a compra de *souvenires*. Eu comprei um bracelete de ouro, no qual, a cada viagem que fazia, acrescentava uma pecinha que representava o local onde havia estado. Era meu bem material mais precioso. Também dei um bracelete de presente à minha sogra e, a cada viagem, trazia uma pecinha de lembrança para ela, de modo que nossos braceletes eram muito parecidos. Infelizmente, após doze anos viajando, minha casa foi arrombada e minhas joias foram roubadas. Meu bracelete, de que eu tanto gostava, se foi.

Dez anos depois, minha sogra estava em minha casa e, enquanto eu passava roupa, uma voz me disse: "Você pode pegar o bracelete de sua sogra". Eu não sei de onde surgiu essa voz. Eu nunca havia roubado nada desde meus 5 anos, quando surrupiei chicletes do armazém de meu tio. Eu nunca mais roubei nada desde aquela ocasião, o que mostra que essa não era uma tentação comum em minha vida. Porém, naquele dia, a voz me disse: "Você pode pegar o bracelete de sua sogra". Comecei a planejar, então, como poderia pôr meu esquema criminoso em ação. É bom você sempre reconhecer a origem dessas vozes, e é importante que lhes responda de forma adequada. Com o ferro de passar na mão, eu disse em voz alta:

— Eu não sou uma ladra.

Repreendi o espírito que estava falando à minha mente e disse:

— Saia!

E ele se foi.

Lembre-se: existem vozes interiores que vêm de fontes bem diferentes. Uma mulher sábia as escuta, discerne e julga: de onde cada uma dessas vozes está vindo? Para onde essas vozes querem me conduzir? Para a vontade do Pai ou para outra escolha errada, que vai destruir minha vida? Você é a única pessoa que pode escolher por si.

Você tem autoridade que Deus lhe deu. Quando ouve críticas, a mulher sábia as escuta sem ser defensiva; ela escuta, percebe e julga. Se alguém lhe disser algo, lembre-se de que você tem a capacidade de julgar o que lhe disseram. Retenha o que é bom e ignore o resto. Ao fazer isso, demonstrará que é apta a discernir e, portanto, está se tornando uma mulher cada vez mais sábia.

Vamos orar

Querido Deus,

eu me entrego a ti. Entrego-te meus planos, sonhos e desejos. Peço que tu me ajudes a prosseguir contigo, seguindo os teus passos e a tua voz. Desejo que todos os teus planos sejam realizados em minha vida. Ensina-me a ouvir somente a tua voz. Que teus ensinamentos estejam sempre firmes dentro de mim. Almejo ser uma mulher sábia, que ouve, percebe e julga. Que assim seja em minha casa, em meu trabalho, na igreja, onde eu estiver.

Em nome de Jesus. Amém.

Para refletir

1. Como uma mulher sábia age quando tem de tomar decisões?

____

____

____

____

____

____

2. Como alinhamos nossa vontade à de Deus?

____

____

____

____

____

____

3. Você precisa tomar alguma decisão que ainda não pôs diante de Deus? Descreva-a aqui e reflita por que ainda não a confiou ao Senhor.

____

____

____

____

____

____

4

A sabedoria de Deus e a do mundo

Uma mulher cheia de sabedoria sabe ouvir e aprender. Ela, cautelosa, reúne informações antes de chegar a uma conclusão e tomar uma decisão. Se você deseja ser uma mulher cada vez mais sábia, ao enfrentar em seu lar uma situação espiritual, emocional ou física, não reaja precipitadamente; a sabedoria sabe esperar. Se você não espera e age antes do tempo certo, acaba tendo uma percepção limitada e não se torna apta a ver o que está por trás das aparências. Sabedoria reúne informações, e isso leva tempo. Em suma, a sabedoria não age por impulso. A mulher sábia sabe reagir.

Outro aspecto importante sobre o processo de reunir informações antes de tomar decisões é que essa atitude nos permite avaliar melhor a situação como ela é e não como a preconcebemos.

Permita-me dar um exemplo. Nosso filho fez doutorado em Física e realizou um estudo para a sua tese. Ele passou dois anos pesquisando e desenvolveu um sistema para testes de lição de casa *on-line* destinado a estudantes universitários de física. Ele desenvolveu todos os programas. O projeto surgiu de uma ideia preconcebida, que o levou a realizar a pesquisa.

Meu filho pensou: "Se um estudante de física pode ver uma colisão e está fazendo os cálculos para medir a força, a energia, o impacto e os demais pontos que a física estuda, com meu programa entenderá melhor como tratar e resolver o problema". Antes, porém, que pudesse concluir o estudo, ele criou uma animação de computador. Assim, em vez de apresentar o problema em forma de texto, ele representou o problema em forma de animação computadorizada, o que torna a tarefa muito mais fácil. Meu filho passou um ano inteiro administrando todos os tipos de problemas e criando animações, reunindo todas as informações necessárias, com paciência. Adivinhe o que as informações que ele reuniu provaram? Que ele estava errado!

Exemplos como o de meu filho mostram por que temos medo de buscar informações e pedir segundas opiniões. A verdade é que, se não o fizermos, estabelecemos a nossa vontade naquilo que queremos! Se buscássemos conselhos com nossa mãe, por exemplo, ela poderia nos mostrar em que estamos erradas. Mas nós não queremos escutar isso.

Você pergunta ao seu marido, por exemplo, "O que você acha disso?", mas na verdade você não quer ouvir o que ele pensa, porque já sabe o que quer! Pode imaginar o que é passar um ano fazendo uma pesquisa e chegar à conclusão de que aquilo que pensava ser verdadeiro é falso? Meu filho teve de mudar o rumo da pesquisa, buscando novas informações e somando-as às que ele já tinha. O resultado é que ele e um grupo de colegas de classe descobriram, mediante a aquisição de informações, uma nova fórmula para um problema de física. Eles formularam o problema de forma totalmente diferente, como resultado da mudança de comportamento e da busca por novas informações.

Do mesmo modo, nunca tenha medo de buscar informações sobre os desafios que enfrenta, pois até mesmo a informação errada pode conduzi-la a um novo entendimento do que você nunca tinha se dado conta.

Uma mulher sábia deve buscar conselhos sábios. Quando nos abrimos para a busca de informações, para o aprendizado, isso nos dá entendimento. Em outras palavras, estar abertas para ouvir nos ajuda a identificar os problemas e as soluções. É quando começamos a entender e a perceber a decisão que precisamos tomar em determinada situação.

A mulher sábia não vive de forma unilateral, porque a sabedoria não é unilateral. Ao adquirir entendimento mediante o bom aconselhamento, você fala em conformidade com os sábios conselhos e se alinha à vontade de Deus. Com isso, pode fazer uma escolha consciente e adotar um rumo novo no lar.

Uma mulher sábia deve buscar conselhos sábios. Quando nos abrimos para a busca de informações, para o aprendizado, isso nos dá entendimento. Em outras palavras, estar abertas para ouvir nos ajuda a identificar os problemas e as soluções.

Por exemplo, se você estiver passando por um sério problema financeiro que já se arrasta por muito tempo, é preciso avaliar as decisões que está tomando nessa área, pois chegou a um ponto crítico. Há uma frase de que gosto muito e que se encaixa nesse contexto: "A dor de permanecer o mesmo se torna maior que a dor da mudança". Isso é verdade. Se a situação financeira vai mal e você chegou a ter perdas substanciais de patrimônio, precisa urgentemente buscar informações e conselhos que a façam adquirir sabedoria suficiente para mudar de rumo. Caso contrário, continuará cometendo os mesmos erros de novo e de novo. Temos de buscar informações e conselhos sábios nas Escrituras e junto a homens e mulheres de Deus que possam nos ajudar a ter bons *insights,* a fim de edificarmos com sabedoria o nosso lar.

Há uma diferença entre conselhos e conselhos sábios. Você pode conversar com um vizinho ou amigo qualquer sem que isso configure um conselho qualificado para a aquisição de sabedoria. As pessoas têm diferentes opiniões, talvez até boas ideias, baseadas na forma como elas resolveram seus problemas. Porém, boas ideias não necessariamente configuram conselhos sábios, porque não necessariamente atenderam à fórmula da sabedoria em sua vida. Portanto, o caminho é reunir informações e, quando entender do que precisa, ir até alguém que saiba mais sobre a situação que você está enfrentando. Pessoas sábias em geral são aquelas que já reuniram informações, já têm entendimento, conhecem a situação problemática em que você se encontra e, por isso, podem aconselhá-la.

Sabedoria pervertida

Sabedoria nunca é unilateral; ela é multilateral, e na multidão de conselhos há sabedoria. Você pode falar com pessoas sábias fora de seu círculo de amizades, não apenas com aquelas que dirão o que você quer escutar. Se você precisa de conselhos na área financeira, procure conselheiros financeiros. Se é um problema emocional, você precisa ir a alguém que saiba lidar com questões comportamentais. E lembre-se sempre de alinhar-se à Palavra de Deus. Se você já tem entendimento por meio da Palavra, deve buscar sempre se conformar à vontade do Senhor. A Bíblia mostra que a verdadeira sabedoria procede de Deus.

> Se vocês são sábios e inteligentes, demonstrem isso vivendo honradamente, realizando boas obras com a humildade que vem da sabedoria. Mas, se em seu coração há inveja amarga e ambição egoísta, não encubram a verdade com vanglórias e mentiras. Porque essas coisas não são a espécie de sabedoria que vem do alto; antes, são terrenas, mundanas e demoníacas. Pois onde há inveja e ambição egoísta, também há confusão e males de todo tipo. Mas a sabedoria que vem do alto é, antes de tudo, pura. Também é pacífica, sempre amável e disposta a ceder a outros. É cheia de misericórdia e é o fruto de boas obras. Não mostra favoritismo e é sempre sincera. E aqueles que são pacificadores plantarão sementes de paz e ajuntarão uma colheita de justiça.
>
> Tiago 3.13-18

Se você vive pensando somente no que é melhor para si, então é motivada por ambição egoísta, o que contraria o ideal de Deus. Mas essa filosofia de vida egocêntrica e egoísta, infelizmente, é a mensagem que escutamos no mundo atual. Assisti certa vez a um programa de entrevistas na TV no qual mulheres divorciadas falavam sobre quão felizes estavam, como isso era maravilhoso. Elas diziam coisas como "agora eu posso viver para mim mesma, não preciso consultar ninguém, posso fazer tudo o que eu quero". Era perceptível o vazio na vida daquelas mulheres.

O mundo está tentando nos convencer de que, se vivermos para nós mesmas, viveremos melhor. Essa sabedoria do mundo é pervertida, poluída, não está de acordo com a vontade de Deus, e as Escrituras dizem que ela trará desordem e todo tipo de mal para nossa vida.

O mundo está tentando nos convencer de que, se vivermos para nós mesmas, viveremos melhor. Essa sabedoria do mundo é pervertida, poluída, não está de acordo com a vontade de Deus, e as Escrituras dizem que ela trará desordem e todo tipo de mal para nossa vida. Você se autodestruirá se viver para si mesma, com ambição egoísta e inveja amarga.

Se, por um lado, a sabedoria do mundo produz impureza, por outro a sabedoria de Deus "é, antes de tudo, pura". Quando você busca fazer uma escolha correta, lembre-se de que ela deve ser pura e pacífica. Se a decisão que deseja tomar no lar vai criar desordem, caos, ansiedade, dor, estresse, discussão e outros males, segue a sabedoria do mundo e não a de Deus, pois a sabedoria do alto produz paz. Se você não consegue tomar uma decisão segundo a sabedoria de Deus, precisa reunir mais informações, buscar mais conselhos e esperar.

Se você não sente paz em seu espírito, se precisa confrontar alguém e ainda não sabe exatamente que palavras precisará dizer, então não é a hora de fazer isso. Se você não tem paz é porque não tem sabedoria para tal situação. É o que a Escritura diz: a sabedoria do alto é pacífica. A sabedoria do alto é gentil, compreensiva, cheia de bons frutos, imparcial, sincera. E o fruto da justiça semeia-se em paz.

Sim, sabedoria produz paz. E a mulher sábia é uma promotora da paz — acima de tudo, no lar.

Vamos orar

Pai,

tenho aprendido como ser uma mulher sábia, segundo as informações e os bons conselhos da tua Palavra, que é viva e eficaz. Que os teus ensinamentos estejam sempre latentes em meu pensamento e vivos em meu coração. Ensina-me a andar como queres, segundo os teus princípios.

O meu desejo é ser uma mulher que te honra e glorifica, com sabedoria ao ouvir e também ao falar. Ajuda-me a buscar diariamente a tua sabedoria e não a do mundo, para que, a cada decisão que eu tome durante minha jornada, eu te busque em primeiro lugar e seja capaz de promover a paz.

Em nome de Jesus. Amém.

Para refletir

1. Por que, muitas vezes, agimos por nossa conta e risco e não pedimos sabedoria a Deus?

2. Junto a quem você costuma buscar informações e conselhos para ajudá-la nas dificuldades do lar?

3. Há alguma situação, neste momento de sua vida, que pede que você pare, ouça e espere? Procure refletir, à luz da Palavra de Deus, como deve proceder.

5

Banah: a mulher sábia deve planejar como edificar o lar

Para que o lar seja edificado de forma bíblica e sobre os pilares corretos, a família tem de planejar como será a sua convivência. E a mulher sábia tem um papel fundamental nesse planejamento. A esse respeito, deixe-me dar um exemplo pessoal. Meu filho tinha 28 anos quando me escreveu um bilhete que dizia o seguinte:

> Querida mamãe, algumas coisas nunca mudam. Por exemplo, eu ainda deixo meus sapatos na sala ou na porta e ainda tenho um escritório bagunçado, embora isso me deixe louco. Ainda gosto de lhe dar um presente no Dia das Mães — na realidade, isso pode me ajudar a ganhar um jeans novo. Mas estou feliz porque algumas coisas mudaram. Você me diz para eu ser um bom marido e pai. Você me

ajudou a ir a Cristo. Você me ensinou a confiar em Deus, mesmo em tempos difíceis. Você me ensinou a ver o copo meio cheio ou o escritório meio limpo. Obrigado por todas as coisas que você me ensinou. Eu amo você.

Esse bilhete reflete o trabalho que fazemos quando edificamos o lar. Se o edificamos com sabedoria, de forma apropriada, nossos esforços permanecem de geração em geração. A importância do bilhete de meu filho não estava em seu desejo bem-humorado de ser sempre perfeito, mas em seu sábio esforço de perceber que os sapatos não podem ficar jogados na sala de estar. Ou seja, ele está tentando! Eu edifiquei o meu lar ao ensinar meu filho que é preciso persistir rumo à perfeição, embora saibamos que alcançá-la plenamente é impossível. E de onde surgiu esse ensinamento? De um planejamento elaborado previamente sobre como o lar deve ser edificado. Em outras palavras: a edificação do lar não é uma tarefa baseada em improvisos, mas em planos pensados detalhadamente.

Nada é edificado sem um *design*, uma concepção, um planejamento. Antes de qualquer estrutura ser construída, você precisa procurar um engenheiro, um arquiteto ou um empreiteiro. Você decide o que deseja e, em seguida, o profissional reúne todas as informações a fim de criar um plano. Em

Provérbios 14.1, "A mulher sábia edifica o lar, mas a insensata o destrói com as próprias mãos", a palavra "edifica" vem do termo hebraico *banah*, que tem o significado de "constrói". E construir é um processo.

Claro que há diferenças. Quando, por exemplo, você edifica uma casa, existe um momento em que a construção termina. Mas o lar a que a Bíblia se refere faz alusão a algo cujo processo de construção jamais acaba. A mulher nunca termina de edificar totalmente o lar. Construir, edificar significa juntar peças para formar um todo. E dentro de seu lar há componentes que Deus lhe dá, como um quebra-cabeça, que ele deseja que você junte corretamente, cada peça em seu devido lugar.

O termo *banah* também remete ao verbo "moldar". Quando algo está moldado, é intencionalmente formado, concebido. É como quando nos vestimos e escolhemos a roupa ideal para o decoro da situação. Quando você trabalha com moda, por exemplo, aprende a correta relação entre a saia e

Construir, edificar significa juntar peças para formar um todo. E dentro de seu lar há componentes que Deus lhe dá, como um quebra-cabeça, que ele deseja que você junte corretamente, cada peça em seu devido lugar.

a blusa, o tamanho do suéter, esse tipo de coisa. A moda tem a ver a relação apropriada entre as peças e em fazer com que a forma como são moldadas ao nosso corpo resulte em uma concepção harmoniosa. Algo que não está na moda, isto é, que não está bem moldado, fica fora de harmonia; causa estranheza. Cada peça pode estar bem individualmente, mas, juntas, elas não ficam harmoniosas. O mesmo ocorre na moldagem do lar

No contexto de Provérbios 14.1, *banah* remete a "moldar" no sentido de posicionamento, colocação intencional, relacionamentos e toques finais. No âmbito que estamos tratando, tem a ver com moldar aqueles que vivem no escopo de seu lar, aqueles que estão debaixo da sua influência e poderão aprender algo com você. Não importa se são filhos de sangue ou crianças que você discipula, um jovem vizinho ou alguém que você conhece... o fato é que sempre pode influenciar alguém, edificando-o.

A fim de entendermos quais são os componentes e o plano de edificação do lar de maneira bíblica, é preciso pensar como ele deveria ser. Com o que ele deveria se parecer? Se comparamos o lar com uma edificação, podemos ver que o melhor modelo de edificação para esse propósito é o templo erguido por Salomão para o Senhor, a partir do plano que Davi deixou preparado.

O Senhor deu sabedoria a Salomão, como lhe havia prometido. E Hirão e Salomão fizeram um acordo de paz. Então Salomão convocou trinta mil trabalhadores de todo o Israel. Enviou-os ao Líbano em grupos de dez mil por mês, de modo que cada homem passava um mês no Líbano e dois meses em casa. Adonirão era encarregado desses trabalhadores. Salomão também tinha 70.000 carregadores, 80.000 cortadores de pedra na região montanhosa e 3.600 chefes que supervisionavam as obras. Por ordem do rei, eles extraíram grandes blocos de pedra de alta qualidade e os modelaram para o alicerce do templo. Homens da cidade de Gebal ajudaram os construtores de Salomão e Hirão a prepararem a madeira e as pedras para o templo. Salomão constrói o templo. No mês de zive, o segundo mês, durante o quarto ano de seu reinado, Salomão começou a construir o templo do Senhor. Isso ocorreu 480 anos depois que o povo de Israel foi liberto da escravidão na terra do Egito. O templo que o rei Salomão construiu para o Senhor media 27 metros de comprimento, 9 metros de largura e 13,5 metros de altura.

1Reis 5.12—6.2

O rei Salomão, ao estabelecer o templo, em primeiro lugar desenvolveu uma estratégia, a partir do trabalho que seu pai, Davi, havia planejado anteriormente. É isso que você faz na edificação do lar? Ou faz tudo de qualquer maneira, sem um planejamento? Perceba como tudo na construção do templo era muito bem pensado e planejado. Quando isso falta, torna-se necessário fazer um trabalho de remodelagem no lar. Talvez você tenha começado a edificá-lo sem um plano e agora seu lar não se parece com um lar modelo. Pode ser que, ao refletir sobre seu lar, você tenha ficado preocupada, com medo de que, quando seus filhos crescerem, eles não sejam como você gostaria que fossem. Ou tenha ficado reflexiva sobre se o seu lar está realmente glorificando a Deus do jeito como você gostaria. Seja como for, fique em paz, pois, se percebe que seu lar precisa de ajustes, a orientação bíblica é para que o remodelemos. Sempre é tempo de mudar o que está ruim e organizar o que está desajustado. E Deus capacitou você, como mulher sábia, a fazer isso.

Cuidado para não desestruturar o lar

Como mães que buscam edificar o lar, nós tentamos fazer tudo, inclusive as viúvas, as solteiras e as divorciadas. Isso é o que vem acontecendo pelo fato de a mulher agora trabalhar fora e assumir papéis que biblicamente são do homem. Por exemplo: há muitas de nós, mulheres, que chegamos em casa e dizemos: "Eu posso edificar este lar sozinha, não tem problema". Em razão desse pensamento, desenvolvemos uma estratégia e um plano para o nosso esposo. Passamos a ditar o que ele tem de fazer ou não, assumindo responsabilidades que não são nossas. Isso não edifica o lar, pelo contrário, desestrutura aquilo que Deus idealizou. Ao tomar para si o que não lhe compete, você exclui seu marido ou o manipula para levá-lo a fazer o que não deveria.

Salomão estabeleceu limites. Ele desenvolveu uma estratégia de edificação e organizou-se, traçando tudo nos mínimos detalhes. Uma casa construída tem limites, possui espaços bem delimitados. Nós identificamos com facilidade o que é uma sala, o que será a cozinha... e tudo isso é consequência de um bom plano.

Um bom mestre de obras sempre tem um plano. Quando os pedreiros e encanadores chegam, eles sabem com antecedência como será a obra. Como mulher sábia, você governa e deve vigiar o que está sendo feito. Quando não há comunicação, vêm os danos na estrutura. Nessas horas, é necessário parar, reunir-se com a família e "remoldar" o lar, buscando identificar se as responsabilidades de cada um estão sendo cumpridas e analisando onde estão os problemas na estrutura. Isso quem faz é a esposa, a mulher sábia, por meio do seu trabalho doméstico, por meio do lar que Deus lhe deu para gerir como mulher. É preciso parar de colocar essa responsabilidade sobre seu marido, pois essa não é a responsabilidade bíblica dele. A responsabilidade bíblica do homem é administrar os negócios. O lar deve ser edificado por você. Portanto... *planeje!*

Vamos orar

Santo e poderoso Deus,

venho pedir-te que cuides do meu lar, da minha família. Quero ser uma mulher que os edifique da maneira como o Senhor deseja. Quero ser mulher auxiliadora, que sabe organizar e moldar a minha casa. Para isso, preciso que ilumines minha mente, a fim de que eu planeje com sabedoria como edificar da melhor maneira possível os domínios que puseste sob minha gerência. E, se falhei em não planejar até agora, ajuda-me a elaborar a partir de agora uma estratégia eficaz de edificação do meu lar

Em nome de Jesus eu oro. Amém.

Para refletir

1. Descreva como tem sido o processo de edificação de seu lar.

____

____

____

____

____

2. Em que você precisa melhorar para saber moldar melhor as pessoas que fazem parte de seu lar?

____

____

____

____

____

3. Qual é o seu plano para edificar seu lar? Se percebe que não tem um, procure traçá-lo agora, à luz da Bíblia e com base nas características de sua família.

____

____

____

____

____

6

Um lar edificado sobre os fundamentos corretos

Existem aspectos essenciais quando se trata da edificação de um lar. Uma das questões centrais de se edificar algo tem a ver com o estabelecimento de fundamentos, isto é, alicerces. Não se pode edificar um edifício sobre fundações fracas, como Jesus deixou bem claro.

> Quem ouve minhas palavras e as pratica é tão sábio como a pessoa que constrói sua casa sobre uma rocha firme. Quando vierem as chuvas e as inundações, e os ventos castigarem a casa, ela não cairá, pois foi construída sobre rocha firme. Mas quem ouve meu ensino e não o pratica é tão tolo como a pessoa que constrói sua casa sobre a areia. Quando vierem as chuvas e as inundações e os ventos castigarem a casa, ela cairá com grande estrondo.
>
> Mateus 7.24-27

Se você lê essas palavras de Cristo e não age de acordo com seu ensinamento, será como o homem tolo que construiu a casa sobre a areia, isto é, sobre uma base inadequada. É como se Jesus dissesse: "Aqui está a pedra fundamental. Eu a estou dando a você, mas, se a deixar de lado e continuar vivendo da forma como tem vivido, será uma tola". Não é sábio abrir mão de fundamentos sólidos, pois isso é agir como o tolo que construiu a casa sobre a areia. Todo mundo sabe que não se constrói uma casa sobre a areia, porque toda vez que chover ou vier uma tempestade ela não permanecerá de pé, assim como não é sábio edificar uma casa sobre alicerces fracos e inadequados.

Biblicamente falando, a rocha representa Jesus, o Deus encarnado cuja essência é o amor. Ao ler 1Coríntios 13, vemos que o amor é paciente e bondoso; não é ciumento, presunçoso, orgulhoso nem grosseiro; não é irritável, nem rancoroso; não se alegra com a injustiça, mas sim com a verdade. Portanto, essas qualidades devem fazer parte da essência dos alicerces de um lar. Cabe a nós, mulheres sábias, estabelecer as bases, que tenham essas características e as demais que se referem ao amor verdadeiro.

Conversei com uma amiga que tem um grande negócio na área de construções e lhe pedi que me falasse sobre alicerces. Eu sabia o que eram, mas queria me aprofundar naquilo que Jesus quis dizer. Ela me disse que os alicerces são os pilares de concreto inseridos profundamente no solo, para manter a firmeza da estrutura. As fundações são a parte de uma edificação que deve ser feita com maior perfeição, pois, se as bases estiverem poucos centímetros fora do prumo, a harmonia da construção ficará comprometida.

Os alicerces de um lar precisam ser estruturados com base no amor, pois o amor é a essência de Deus. Como mulher sábia que deve edificar seu lar, você precisa aprender a amar em sintonia com o amor de Cristo.

Os alicerces de um lar precisam ser estruturados com base no amor, pois o amor é a essência de Deus. Como mulher sábia que deve edificar seu lar, você precisa aprender a amar em sintonia com o amor de Cristo, sabendo como responder em amor, como deixar o amor divino ser transmitido aos demais por seu intermédio. Você consegue fazer isso? Observe como a Bíblia descreve o amor e veja se tem vivido isso no cotidiano de seu lar.

> Se eu falasse as línguas dos homens e dos anjos, mas não tivesse amor, seria como um sino que ressoa ou um címbalo que retine. Se eu tivesse o dom de profecias, se entendesse todos os mistérios de

> Deus e tivesse todo o conhecimento, e se tivesse uma fé que me permitisse mover montanhas, mas não tivesse amor, eu nada seria. Se desse tudo que tenho aos pobres e até entregasse meu corpo para ser queimado, e não tivesse amor, de nada me adiantaria.
>
> O amor é paciente e bondoso. O amor não é ciumento, nem presunçoso. Não é orgulhoso, nem grosseiro. Não exige que as coisas sejam à sua maneira. Não é irritável, nem rancoroso. Não se alegra com a injustiça, mas sim com a verdade. O amor nunca desiste, nunca perde a fé, sempre tem esperança e sempre se mantém firme.
>
> 1Coríntios 13.1-7

Nós não podemos amar dessa forma sem o amor de Deus. Como Deus é amor, devemos estar próximas a ele, em sua presença, a fim de deixar que ele trabalhe em nossa vida. Essa é a única maneira de amar com o amor descrito pela Bíblia. O amor de Deus é traduzido em quatro alicerces principais, os pilares de nossa edificação: atitude, comportamento, caráter e verdade. Tudo isso é amor.

- **Atitude**. O amor é paciente, e isso é atitude. É bondoso, e não ciumento, e isso também é atitude. Se você parar e analisar as características do amor descrito pelo apóstolo Paulo, perceberá que ele não é definido exclusivamente por sentimentos ou emoções, mas por ações. É mediante o que fazemos (atitudes) e falamos que revelamos se amamos. A atitude denuncia se temos em nós de fato o amor de Deus. Se você age de forma vergonhosa, com ciúmes, brigas, desrespeito e desonra ao marido, petulância, impaciência com os filhos, gritos e outras características que contrariam o que uma mulher sábia e edificadora deve ter, precisa urgentemente repensar a maneira como age no lar. Pois não está refletindo o amor de Deus.

• **Comportamento.** O texto diz: "[O amor] Não exige que as coisas sejam à sua maneira. Não é irritável, nem rancoroso" (v. 5). Essas qualidades estão relacionadas à pedra fundamental do comportamento, que é a maneira pela qual se expressam as atitudes mencionadas no item anterior. Por definição, comportamento é como uma pessoa procede em relação às outras, em especial com referência às regras de boas maneiras Refere-se ao que você faz, de que forma age, ao que diz, como trata as pessoas. Isso tudo parte do amor, a pedra fundamental de um lar edificado por uma mulher sábia.

• **Caráter**. O texto diz que "[O amor] sempre se mantém firme" (v. 7). Você não pode se manter firme sempre se é fraca de caráter. O fraco de caráter foge quando a pressão aumenta, não quer enfrentar a verdade, dá o fora. O caráter forte diz: "Certo, isso é pesado, é difícil, machuca, eu não gosto de lidar com isso, mas, sabe de uma coisa, farei o que for preciso para estabelecer uma fundação sólida no meu lar, enfrentando o que for necessário". O caráter enxerga o que é positivo em meio ao negativo e enfrenta todas as coisas. Caráter persistente é positivo, forte e exerce pressão; ele não desiste. Em nosso casamento, o amor precisa ter caráter, para que persistamos, mesmo diante de situações difíceis.

- **Verdade**. O texto diz que "O amor não se alegra com a injustiça, mas sim com a verdade" (v. 6). De que forma você responde quando ama alguém e descobre uma verdade a respeito dele que não é boa? O amor abraça a verdade, não importa qual seja. A qualquer momento, algo negativo pode ser revelado sobre nossos filhos. Minha filha, certa vez, teve muita dificuldade em sua vida escolar e isso aconteceu porque Larry e eu estávamos tão assoberbados de tarefas que relaxamos nas atividades que estavam fora de nosso trabalho ministerial. Nós não agimos com sabedoria. Os alicerces estavam lá, mas não prestamos atenção às necessidades de minha filha em relação aos estudos, como o amor determina que deveríamos fazer.

Certo dia, recebemos um telefonema da escola, pois ela não leu um livro que deveria ser lido e, consequentemente, não fez a tarefa. Quando as crianças estavam devolvendo os trabalhos, ela furtou um dos que estavam na cesta do professor e o copiou, parafraseando-o. Porém, a professora viu o que ela fez e, muito sabiamente, nos telefonou. O que fazemos numa situação como essa, se temos o fundamento estabelecido em amor? Seria muito mais fácil se não soubéssemos disso ou disséssemos para a professora deixar para lá. Mas não.

O amor abraça a verdade. Tanto faz se é uma verdade positiva ou negativa, ela é benéfica. Quando você descobre que seus filhos fizeram algo e isso a desaponta por causa dos seus padrões cristãos, em vez de ficar desolada, abrace a verdade; encare-a. Pode ser necessário fazer alguns ajustes, e sabedoria implica reconhecer quando você não foi sábia. A verdade sobre minha filha revelou que ela estava enfrentando dificuldades em uma área que não percebemos. Isso abriu meus olhos completamente e fiz ajustes na forma como eu poderia ajudá-la

O amor abraça a verdade. Tanto faz se é uma verdade positiva ou negativa, ela é benéfica. Quando você descobre que seus filhos fizeram algo e isso a desaponta por causa dos seus padrões cristãos, em vez de ficar desolada, abrace a verdade; encare-a.

com seus trabalhos escolares. Em vez de eu ficar impressionada com a verdade sobre ela, agi de forma correta — e isso alimentou o amor dela por mim. A maioria das vezes em que ficamos nervosos com verdades negativas é por causa de nossa própria imagem, que vivemos tentando proteger.

Outro ângulo da verdade em amor é que o amor abraça a verdade sobre nós mesmos. A mulher sábia precisa estar apta a aceitar a verdade sobre si, aquela que não consegue (ou não quer) ver. Se eu só vejo um lado meu; meu marido e meus filhos podem enxergar outros lados. Eu só posso ver minhas costas com a ajuda de outro objeto ou de outra pessoa — e todos nós temos frente e costas. Se você me diz, por exemplo, "Devi, seu braço tem uma sujeirinha bem aqui", precisarei tirá-la. Se não abraçamos a verdade, nosso fundamento será fraco. Se estabelecemos os alicerces do lar com centímetros de diferença de onde deveriam estar, quando as crianças crescerem, chegará o dia em que você olhará para trás e se perguntará: "O que aconteceu?". Abrace a verdade, como expressão do seu amor que edifica o lar. O resto virá naturalmente.

Mulher: o sistema de apoio da casa

As mulheres são os pilares que Deus estabeleceu para suportar o peso do lar. É por isso que a Bíblia afirma que é a mulher sábia quem edifica o lar e não o homem sábio. Ao mesmo tempo, Deus escolheu fazer de nós aquelas que devem estar submissas aos homens, e não o contrário. O Senhor criou as mulheres para os homens, e não os homens para as mulheres. Ele nos fez para sermos as guardadoras de nosso lar, as donas da propriedade. Nós, mulheres, somos o sistema de apoio, aquele que Deus estabeleceu para suportar o peso da edificação. Em outras palavras, você é preparada para suportar maior pressão que seu marido. Você foi presenteada pelo Deus da criação com a aptidão de aguentar as dificuldades do lar, com capacidade emocional e mental especificamente destinada a isso.

O programa de televisão americano *Good Morning America* fez uma reportagem em que procurava mostrar as diferenças entre homens e mulheres. Eles puseram um homem lendo jornal em uma sala cheia de crianças bagunceiras, que corriam ao redor dele e faziam todo tipo de algazarra. Apesar disso, ele permaneceu na mesma posição, somente lendo o jornal. Em seguida, pediram que ele relatasse o que havia ocorrido ao seu redor, mas ele foi incapaz de fazê-lo — ele estava na sala, mas não tinha ideia do que estava acontecendo à sua volta. O programa também filmou outro homem, posicionado na mesma sala, mas, desta vez, acompanhando um jogo de basquete na televisão. Ao final, o homem conseguiu descrever cada jogada, explicar o que fez cada jogador, citar o placar, apontar quem perdeu os lances. Todavia, ao ser indagado sobre quem entrou ou saiu da sala, o que as crianças estavam fazendo, quem mais estava no mesmo recinto... ele ficou mudo. Por fim, a produção fez uma mulher ficar naquela mesma sala, na mesma situação. Ao término, ela relatou com precisão o que leu no jornal, quem entrou e quem saiu do ambiente, qual criança derrubou o leite, o que estava passando na televisão. Ela foi capaz de dizer um pouco sobre cada coisa que aconteceu naquela sala. Esse episódio mostra com bastante clareza a diferença na forma de trabalhar do cérebro do homem e da mulher.

Diante disso, você poderia perguntar se Deus nos criou com a capacidade de aguentar uma carga pesada. A resposta é *sim*. Somos aptas a carregar um peso com paz no coração? *Sim!* Somos capazes de carregar um peso com alegria? *Sim!* Conseguimos carregar um peso com confiança e ainda ter esperança, fé, resistência? *Sim!* Por quê? Porque o amor sempre se mantém firme. Sim, Deus a criou assim! Você é o sistema de apoio, os pilares! O Criador a concebeu como um pilar forte, uma coluna.

No entanto, o inimigo tem pervertido nosso entendimento sobre quem somos enquanto mulheres, para falharmos com nossas famílias ao pensar: "Eu não posso suportar isso. É muito para mim. Estou muito fraca...". Isso é mentira! Você foi concebida por Deus para ser um forte sistema de apoio. E o que isso significa?

[...] o inimigo tem pervertido nosso entendimento sobre quem somos enquanto mulheres, para falharmos com nossas famílias ao pensar: "Eu não posso suportar isso. É muito para mim. Estou muito fraca...". Isso é mentira! Você foi concebida por Deus para ser um forte sistema de apoio.

Para as mulheres casadas, com ou sem filhos, significa que devem ajudar o marido, sendo ele crente em Jesus ou não. Isso está de acordo com o que diz a Bíblia: "Da mesma forma, vocês, esposas, sujeitem-se à autoridade de seu marido. Assim, mesmo que ele se recuse a obedecer à palavra, será conquistado por sua conduta, sem palavra alguma, mas por observar seu modo de viver puro e reverente" (1Pe 3.1-2).

Para as mulheres solteiras, a Bíblia diz que ela deve se preocupar com as coisas do Senhor: "Da mesma forma, a mulher que não é casada ou que nunca se casou pode se dedicar ao Senhor e ser santa de corpo e espírito. Mas a mulher casada precisa pensar em suas responsabilidades aqui na terra e em como agradar seu marido" (1Co 7.34). Se você não é casada, é o sistema de apoio para uma causa, um ministério, uma missão. Deus não a chamou para viver para si mesma, mas para usar a força que ele lhe concedeu como mulher para fazer os trabalhos do reino de Deus.

As mulheres não casadas com filhos — e isso inclui viúvas e divorciadas, inclusive as que têm filhos adultos — devem apoiá-los, pondo-se à disposição deles quando precisarem. Você poderia me dizer que tem estado com seus filhos, embora eles não liguem para você, não a respeitem. Se isso está acontecendo, reajuste as suas bases. Você deve pôr concreto novo, cavar uma nova fundação, voltar atrás e dizer: "Sabe de uma coisa, filho, estou aqui para apoiá-lo, não importam as circunstâncias, não importa o passado". Não importa o que lhe fizeram, Deus diz que você deve estar à disposição de sua família quando for necessário. Tente novamente. Você consegue. Você, mulher, é a pessoa que dá suporte, apoio.

Viúvas, apoiem os sonhos de seus filhos e netos. Avós, tenham as crianças em sua casa, transmitam o amor e a virtude de Deus a eles. Cantem hinos para eles, transmitam-lhes a tradição, estabeleçam essas bases em sua vida.

E, seja você viúva, seja divorciada, seja solteira, tem um papel a desempenhar: o de quem edificará com sabedoria o seu lar, por meio da virtude e do amor de Deus. Será que você compreende que sua casa é um santuário, onde Deus habita? Só porque você vive sozinha em termos humanos não significa que o seu lar não pode ser espaço onde se ministre aos outros, aos seus filhos e netos, aos filhos de seus vizinhos.

Edifique seu lar sobre os fundamentos corretos e seja apoio a todo tempo. Esse é o procedimento de uma mulher sábia.

Vamos orar

Querido e amado Deus,

como é bom estar em tua presença! Como é bom poder ler sobre ti, conhecer as Escrituras, lê--las e guardá-las em meu coração! Obrigada pelo meu lar, por minha família, pelo espaço onde moro. Ponho-me diante de ti e me disponho a ser transformada pelo teu poder. Que o Espírito Santo esteja em meu lar e nele habite para sempre.

Ajuda-me, Senhor, a ser uma mulher que edifique meu lar em amor. Que eu viva de acordo com teus ensinamentos, para a honra e a glória do teu nome. Que o amor esteja sempre presente onde eu estiver, e que os alicerces do teu grande amor sustentem o meu lar. Quero ser exemplo onde eu estiver, a fim de edificar a vida de minha família, meus amigos, meus irmãos em Cristo. Que eu seja pilar na vida deles, sempre alicerçada em teu amor.

Em nome de Jesus. Amém.

Para refletir

1. Quais são os fundamentos corretos para a edificação do lar?

2. Atitude, comportamento, caráter e verdade: você pode afirmar que esses quatro alicerces estão presentes em sua vida e em seu lar? Em caso negativo, o que pode fazer para passar a ter uma base sólida e completa no lar?

3. Explique o que Deus espera de você como mulher, criada com aptidão para ser sustento e fornecer apoio no lar.

___

___

___

___

___

7

O protetor do lar

Uma vez que está claro que as mulheres são os pilares de sustentação do lar, precisamos compreender com exatidão o que a Bíblia fala acerca do papel do homem. O que é uma casa sem uma cobertura? É uma casa sem proteção, sujeita às chuvas, ao vento, às intempéries. Portanto, a posição de responsabilidade do homem o coloca como aquele que deve prover proteção ao lar. Essa é a função primordial do sistema de cobertura.

A Bíblia diz que "o cabeça de todo homem é Cristo, o cabeça da mulher é o homem, e o cabeça de Cristo é Deus" (1Co 11.3). O homem não foi criado por causa da mulher, mas a mulher por causa do homem. Deus criou toda a força da mulher, as leis de apoio, a habilidade de aguentar o peso e, então, disse: "Você é o pilar de sustentação do lar. Mas colocarei uma cobertura sobre você, a quem você deverá se submeter. Em outras palavras, você permitirá que esse telhado descanse sobre si". Isso é o que significa submeter-se à cobertura, nesse contexto. Porém, sabe o que temos feito? Não temos usado o cérebro, e abandonamos a responsabilidade que Deus nos deu como mulheres.

Submissão ao marido é estar debaixo da missão dele. Se você é o sistema de apoio, deve permitir que essa liderança esteja sobre você. Se não permite, cada parte deixará de cumprir sua função, porque, quando as intempéries vierem, será como construir a casa sobre a areia, pois sua função perde o valor quando está no lugar errado. E, nesse caso, é grande o prejuízo!

Existem diferentes tipos de telhado. Algumas mulheres se casam com telhados mais leves, outras com coberturas que carregam muito peso. Dependendo de cada caso, você precisa saber estrategicamente onde estabelecer seu ponto de apoio, pois a realidade é que você não pode mudar o fato, por exemplo, de seu esposo ser uma cobertura plana. Algumas de nós somos casadas com telhados de duas águas, nos quais tudo parece escorregar e sobre os quais é perigoso subir. Outras têm maridos que são lajes de concreto, fortes e muito pesados, que requerem uma fundação firme, com bases profundas. Esse tipo de telhado é imóvel, inflexível, então os pilares da casa precisam ser fortes. Pense como é a "cobertura" que você tem no seu lar e verá que, dependendo de cada tipo de telhado, os pilares terão de se submeter a ajustes a fim de aguentar seu peso e sua estrutura.

Para fazer esses ajustes, é importante ter em mente quais são os elementos essenciais para que se possa apoiar um telhado em cima de pilares, no que se refere ao contexto do lar. Eles incluem respeito, honestidade, confiança e compromisso.

Gostaria de enfatizar a questão da honestidade, pois é algo que tem se perdido em grande escala nos lares. Honestidade tem a ver com não mentir. No que se refere a cuidar de um lar, as mulheres sofrem uma tremenda tentação para faltar com a verdade a fim de conseguirem fazer as coisas da forma que desejam. Algumas vezes você acha que não precisa dizer ao telhado o que está acontecendo em determinada sala da casa. Quer esconder os fatos. Na prática, isso pode significar mentir — ou

Honestidade tem a ver com não mentir. No que se refere a cuidar de um lar, as mulheres sofrem uma tremenda tentação para faltar com a verdade a fim de conseguirem fazer as coisas da forma que desejam.

omitir — sobre quanto dinheiro gastou ou o que aconteceu de ruim com as crianças por uma falha sua. Ao edificar o lar, uma mulher sábia deve ter total transparência e honestidade dentro dessa família. E honestidade não esconde as coisas.

Em certa ocasião, fui tentada a comprar um terno rosa que estava caríssimo. A dona da loja veio até mim e disse:

— Devi, você deve comprar este terno e eu vou tornar isso possível.

"Obrigada, Jesus", agradeci em pensamento.

Ela continuou.

— Por que você não põe isso na conta da casa?

Nós não tínhamos cartão de crédito naquela época e mal tínhamos dinheiro para comprar comida. Larry vivia das ofertas da igreja. Por isso, respondi.

— Não posso fazer isso...

— Vou lhe dizer o que farei... — prosseguiu aquela senhora, sem dar atenção a minhas negativas. O inimigo às vezes cochicha coisas como essas para nós. Você tem a convicção, os princípios da Palavra, concordou com seu cônjuge sobre algo, concorda com as metas da família, tem um plano concebido e acredita que Deus a está guiando para seguir como família... mas, então, vem o diabo com seus conselhos para perverter o nosso plano.

— Eu não vou colocar no cartão de crédito — prosseguiu ela — vou enviar faturas mês a mês, porque quero que você tenha esse terno.

"Obrigada, Jesus", agradeci novamente em pensamento. Ela continuou:

— Você pode pagar cinco dólares por mês, não me preocupo com isso.

Eu pensei: "Quem poderia fazer algo assim? É de Deus!". Assim, levei o terno para casa. Adivinhe o que eu fiz? Eu o escondi! Agora pense: o que há de bom em comprar algo e escondê-lo? Eu não pude vesti-lo. Ele ficou escondido, e a cada três ou quatro dias eu pegava aquele terno, o tirava da caixa, olhava para ele e o guardava novamente no *closet*. E a honestidade? Enfim, meu marido acabou vendo o terno, é óbvio.

— Devi, o terno é bonito, mas você não pode mantê-lo.

Adivinhe o que eu fiz? Eu me submeti à cobertura. A instrução da cobertura é a minha proteção. Larry me disse que eu deveria devolver o terno, e assim o fiz. Na realidade, por meio de meu exemplo como uma jovem esposa de pastor, Deus recebeu a glória por causa da honestidade.

A Universidade Harvard fez um estudo sobre casamento, com foco no que faz um relacionamento matrimonial acabar. Os pesquisadores analisaram casais que brigavam bastante, mas ficaram casados por cinquenta anos, e casais que aparentemente tinham um bom relacionamento, mas cujo casamento não durou nem cinco anos. Eles descobriram três elementos que fizeram toda diferença: crítica, desprezo e isolamento. Nenhum lar pode sobreviver com esses três elementos. Eles são a tempestade que destruirá a cobertura, o sistema de apoio e a fundação.

Se a crítica ao marido fizer parte de sua vida, você tem de mudar suas bases. Se você carrega desprezo por ele em seu coração, ore e abandone isso diante do Senhor e deixe o Espírito Santo fazer o trabalho. E, se você tem ficado afastada dele, tome a decisão de se reconectar.

Quero desafiá-la a respeito da atmosfera de sua casa, porque ela afeta tudo. Toda pessoa que anda pela minha casa diz: "Nossa, parece que há uma fragrância especial aqui". O que é isso? É que eu, como uma mulher sábia que edifica o meu lar, estou focada em meu cuidado diário, debaixo da proteção de meu marido e consciente de meu papel como pilar de sustentação dele. E você?

Vamos orar

Deus,

obrigada porque sou um pilar para meu lar, que sabe que precisa sustentar o telhado, seja ele do formato e da estrutura que for. Peço-te que me capacites para isso. Trabalha em mim, a fim de lapidar tudo aquilo que ainda precisa de cuidados. Desejo ser moldada como tu queres, para que eu tenha a sabedoria necessária a fim de edificar meu lar. Que minha família seja uma bênção, e que eu possa ser o suporte para ela que tu desejas que eu seja. E que, em tudo, eu esteja debaixo da proteção de meu marido, seja ele o tipo de telhado que for para meu lar.

Em nome de Jesus. Amém.

Para refletir

1. De que maneiras práticas você deve se submeter à proteção que é seu marido?

2. O que você entende por submissão da mulher e que implicações isso traz para a vida diária da família?

3. Respeito, honestidade, confiança e compromisso são os elementos fundamentais para que a cobertura masculina possa se apoiar sobre os pilares que é a esposa. Como anda a sua relação com seu marido, no que se refere a esses quatro conceitos? Em que é necessário melhorar? Como você pretende implementar essa melhoria?

___

___

___

___

___

8

O que significa refletir a glória do homem?

Se analisarmos a história da humanidade, veremos claramente que, em comparação com os séculos ou mesmo os milênios anteriores, em nossos dias o papel da mulher mudou tremendamente. A sociedade não cristã vem tentando com todas as suas armas desvirtuar o papel bíblico da mulher nos âmbitos em que ela transita, como casamento, família e trabalho. O maior de todos os males que essa transformação cultural provoca é o distanciamento do modelo de feminilidade que Deus idealizou, pôs em prática e ensinou que deveríamos seguir. Como resultado, vemos a mulher viver hoje como uma caricatura, uma sombra daquilo que o Senhor a criou para ser. O grande desafio diante desse cenário é retornar ao padrão bíblico, pois, fora dele, é impossível a uma mulher edificar seu lar de acordo com a vontade de Deus.

Uma das verdades mais significativas sobre o papel da mulher conforme idealizado por Deus é indicada por Paulo em 1Coríntios: "A mulher, porém, reflete a glória do homem" (11.7). O que significa exatamente essa afirmação? Que implicações há em dizer que refletimos a glória do homem? Será que devemos louvar as pessoas do sexo masculino? O que esse conceito quer dizer, de fato?

Nós, mulheres, fomos criadas por Deus para sermos ajudadoras que completam nosso marido. Ainda no ato da criação do mundo, após formar o homem, o Senhor Deus disse: "Não é bom que o homem esteja sozinho. Farei alguém que o ajude e o complete" (Gn 2.18). Ao ler isso, quem não compreende o relato bíblico pode entender que Deus criou a mulher para ocupar uma posição inferior, insignificante. A verdade é que não existe nada mais longe da realidade, pois o plano divino para a mulher a fortalece e lhe dá poder.

Para compreender, diante desse fato, o que significa dizer que a mulher reflete a glória do homem, nos basearemos e nos aprofundaremos na Palavra de Deus. Meu objetivo é deixar que ela mesma interprete aquilo que revela. Leiamos o texto em seu contexto.

O homem não deve cobrir a cabeça, pois ele foi criado à imagem de Deus e reflete a glória de Deus. A mulher, porém, reflete a glória do homem. Pois o homem não veio da mulher, mas a mulher veio do homem. E o homem não foi criado para a mulher, mas a mulher foi criada para o homem. Por esse motivo, e também por causa dos anjos, a mulher deve cobrir a cabeça, para mostrar que está debaixo de autoridade. Entre o povo do Senhor, porém, as mulheres não são independentes dos homens, e os homens não são independentes das mulheres. Pois, embora a mulher tenha vindo do homem, o homem nasce da mulher, e tudo vem de Deus.

1Coríntios 11.7-12

[...] o homem não foi originado da mulher, mas a mulher foi originada do homem, porque, na verdade, o homem não foi criado para a mulher, mas a mulher para o homem.

Essa passagem reforça o que vemos no relato de Gênesis: o homem não foi originado da mulher, mas a mulher foi originada do homem, porque, na verdade, o homem não foi criado para a mulher, mas a mulher para o homem. Em Cristo, por meio da redenção, a mulher não é independente do homem e o homem não é independente da mulher.

Para ficar claro o que a Palavra de Deus tem a nos dizer sobre o que significa, exatamente, refletir a glória do homem, precisamos começar definindo o que quer dizer "glória" nesse contexto. Para isso devemos acompanhar as palavras do apóstolo. Paulo começa 1Coríntios 11 dizendo: "Eu os elogio porque vocês sempre têm se lembrado de mim e têm seguido os ensinamentos que lhes transmiti. Mas quero que saibam de uma coisa: o cabeça de todo homem é Cristo..." (v. 2-3). Aquela igreja admirava Paulo como líder, mas ele fazia questão de lembrar e reforçar que, embora ele fosse um apóstolo e aqueles cristãos estivessem se devotando aos seus ensinamentos, era imperativo que se lembrassem de que não era ele a quem deveriam admirar, seguir e adorar. Paulo enfatiza a autoridade e a primazia de Deus. "O cabeça de todo homem é Cristo [...] e o cabeça de Cristo é Deus" (v. 3).

Essa afirmação transparece a ordem e a lei que governa o mundo desde o começo dos tempos, desde a criação do mundo. Deus criou os céus e a terra. Em seguida, formou o homem e, então, criou a mulher — essa é a ordem que o Senhor estabeleceu. O termo original em grego que foi traduzido em 1Coríntios 11 por "glória" é *doxa*, que significa, ao pé da letra, "opinião". No Novo Testamento, quando você lê *doxa*, a opinião é sempre positiva, boa, e não negativa. E a palavra *doxa* significa, segundo os dicionários, uma opinião de louvor, honra, glória, aprovação, retidão. Se a mulher é a *doxa* do homem, e *doxa* significa honrar, louvar, elevar, ter uma opinião positiva, aprovar, devemos dar especial atenção à maneira como pensamos a respeito dos homens.

Cuidado com posturas erradas

Como é a sua atitude em relação ao gênero oposto? Qual é a sua postura, como mulher, em relação aos homens? Em geral, nossa atitude no que se refere ao sexo masculino é fruto de experiências que vivemos desde a nossa mais tenra infância. Formamos nossa concepção dos homens a partir das vivências que tivemos com os primeiros indivíduos do sexo oposto que fizeram parte da nossa vida – nosso pai, os irmãos, os tios, os avós, os amiguinhos da escola. Depois, continuamos construindo a imagem estereotípica do homem a partir de exemplos específicos, como professores, patrões, namorados. Para identificar como você pensa e o que sente com relação aos homens, procure responder a três perguntas:

- Em que tom você pensa quando o assunto são homens?
- Quais são seus pensamentos e impressões em relação a eles?

- Você fala dos homens de forma positiva ou negativa?

Eu lhe fiz essas perguntas porque *doxa* começa na mente. Você já se pegou pensando a respeito dos homens coisas como: "Ah, sei, homens..." ou "Homem é tudo igual", com um tom de deboche ou de raiva, por exemplo? Se a sua resposta a essa pergunta for positiva, você precisa, com urgência, parar e reavaliar como se relaciona mentalmente com o sexo masculino, pois ela está em dissonância com a maneira divina de pensar e em nada contribui para a edificação do lar. Não é uma postura sábia.

O homem foi formado com um propósito especial. Se olharmos para o próprio físico do homem, vemos nele, metaforicamente, a natureza de Deus. Vemos a glória de Deus apresentada por sua força, pela forma como seus músculos são formados. Seu corpo físico simboliza a força, o poder e a autoridade que lhe foram delegados. As mudanças de voz, o baixo e o grave quando se tornam adultos expressam quem ele é como homem, e podemos simbolicamente dizer que representam o poder de Deus e a sua autoridade.

Homens têm a capacidade de refletir a glória de Deus ao desempenhar papéis como os de pais, filhos, guerreiros e maridos. O homem tem todos esses papéis divinos que lhe são concedidos por

Deus, o que manifesta a glória do Senhor. Quando o homem não cumpre tais papéis, ele não glorifica a Deus. Da mesma forma, nós, mulheres, temos papéis a desempenhar e não podemos permitir que outros nos influenciem a ponto de não cumprir o que o Senhor deseja que façamos.

Eu devo conferir aos homens honra, dignidade e respeito, sem alimentar pensamentos que os diminuam e desrespeitem, como raiva, hostilidade, medo e ressentimento. Pelo contrário, devo honrá-los, glorificá-los e dignificá-los. O que os homens fazem não é minha responsabilidade, mas o que eu faço, sim.

Eu tenho a responsabilidade perante a Palavra de ser obediente, respondendo ao anseio do Senhor de que eu seja a glória dos homens com os quais venha a ter contato. Eu devo conferir aos homens honra, dignidade e respeito, sem alimentar pensamentos que os diminuam e desrespeitem, como raiva, hostilidade, medo e ressentimento. Pelo contrário, devo honrá-los, glorificá-los e dignificá-los. O que os homens fazem não é minha responsabilidade, mas o que eu faço, sim. Assim, meu conselho é: não permita que outras pessoas influenciem você a ponto de fazê-la parar de refletir a glória do homem. Ao falhar nesse ponto, você estará deixando de cumprir seu chamado e seu papel feminino.

Os homens, criados à imagem de Deus, são os que trazem direção, proteção e provisão. No Antigo Testamento, os homens eram os líderes do louvor, não as mulheres. Eles construíam os locais de culto, e eles lideravam o louvor. Por quê? Porque homens refletem a glória de Deus.

Nossa sociedade deturpa os papéis de homens e mulheres. Na medida em que a sociedade caminha para mais longe de Deus, passamos a ver fenômenos como igrejas que são lideradas por mulheres. Toda vez que o homem se aproxima de Deus, ele começa a liderar novamente, em louvor. Quando ele fica longe de Deus, nem sequer o louva, porque não está glorificando ao Senhor. Nós, mulheres, não devemos liderar onde não deveríamos estar liderando. Você entende isso? Não cabe a nós liderar. Fomos criadas para refletir a glória do homem, para auxiliá-lo, e o que é diferente disso está fora do plano divino. E fora do plano divino ninguém consegue edificar o lar.

Se você está fora do plano de Deus, em que plano está? A resposta é óbvia: no do adversário de Deus! Se você está fora do propósito divino, cumpre o propósito do inimigo. Essa, tenho plena consciência, não é uma mensagem popular em nossos dias, mas é a mensagem da Bíblia.

Vamos orar

Senhor da minha vida,

obrigada por poder conhecer ainda mais da tua viva Palavra. Agradeço por compreender, por intermédio dela, o que tu desejas para mim. Peço-te que me ajudes a ser uma mulher que reflita a tua glória ao refletir a glória do homem, como dizem as tuas Santas Escrituras.

Em nome de Jesus. Amém.

Para refletir

1. Descreva o que significa refletir a glória do homem.

___

___

___

___

___

2. Faça uma autoavaliação e responda: alguma de suas atitudes ou de seus pensamentos não reflete a glória do homem? Se sim, como pode mudar?

___

___

___

___

___

3. De que maneira você pode mudar a forma como fala dos homens, caso costume tecer comentários depreciativos, jocosos ou agressivos sobre eles?

____

____

____

____

____

9

Como refletir a glória do homem?

Todas nós, mulheres, temos diversas funções, e nos desdobramos em muitas delas. Isso é bom e não há restrição bíblica a que seja assim. Eu mesma prego e escrevo para o público masculino, usando os dons e talentos que o Senhor me concedeu. Porém, jamais perco de vista que, no que diz respeito à autoridade final, Deus a confiou ao marido. Eu atuo no ministério, mas sem me permitir nunca que falhe em refletir a glória do homem. O meu esposo é o meu cabeça.

Eu posso ser chefe ou conselheira na empresa em que trabalho, mas jamais devo deixar de refletir a glória do homem quando estou liderando ou aconselhando. Há uma autoridade que me foi concedida, mas isso não me tira de minha posição estabelecida por Deus. Em outras palavras, você pode ser a presidente da corporação em que trabalha, ter muitos executivos homens que trabalhem sob sua liderança e desfrutar de autoridade estabelecida no estatuto da empresa, a fim de administrar, tomar decisões e dizer a esses homens o que eles devem fazer. Mesmo assim, Deus ordena que continue refletindo a glória deles.

Parece contraditório? Acredite, não é. Como isso deve ocorrer na prática? Mesmo que você estabeleça as regras e distribua as responsabilidades na empresa em que trabalha, ainda assim tem de tratar os homens com honra e dignidade na posição em que está. Jamais pode ter aquela atitude de "homens não fazem nada direito! " ou "eu sou uma executiva e estou tomando o seu lugar! Engula esta: eu recebo tanto quanto você!". Isso não é refletir a glória do homem. Pois refletir a glória do homem é honrá-lo e respeitá-lo.

Mesmo que você estabeleça as regras e distribua as responsabilidades na empresa em que trabalha, ainda assim tem de tratar os homens com honra e dignidade na posição em que está. [...] refletir a glória do homem é honrá-lo e respeitá-lo.

Vamos pensar sobre o exemplo da rainha Ester. O rei persa Xerxes (*Assuero*, em hebraico), da terra de Susã, mandou embora sua primeira esposa,

Vasti, por ela ter desobedecido a uma ordem sua. Em seguida, ele começa a buscar uma nova esposa para ser a rainha. Mulheres de todo o império (127 províncias, desde a Índia até a Etiópia) foram convidadas a se candidatar, e a que mais agradasse o rei passaria a ocupar o lugar de Vasti. Entre essas mulheres estava Ester, uma jovem judia criada por seu primo Mardoqueu. O rei gostou muito de Ester e fez dela sua rainha.

Embora fosse judia, Ester não revelou a ninguém sua origem, honrando o conselho que lhe dera Mardoqueu. Mas um grave problema começou a ocorrer. Um nobre de grande autoridade, chamado Hamã, ficou extremamente irritado quando descobriu que Mardoqueu não o reverenciava como ele gostaria. Por essa razão, Hamã decidiu matá-lo e a todo o povo judeu que habitava no território persa. É nesse ponto da história que verificamos um incrível exemplo de sabedoria.

Quando soube que todos os judeus seriam mortos, Ester desejou falar com o rei, mas a lei dizia que ela seria morta se entrasse em sua presença sem que fosse chamada por ele. A única possibilidade de chegar até o monarca sem ter sido convocada seria se o rei estendesse a ela seu cetro de ouro. Qual foi, então, sua atitude?

> Então Ester enviou esta resposta a Mardoqueu: "Vá, reúna todos os judeus de Susã e jejuem por mim. Não comam nem bebam durante três dias e três noites. Minhas criadas e eu faremos o mesmo. Depois, irei à presença do rei, mesmo que seja contra a lei. Se eu tiver de morrer, morrerei". Mardoqueu foi e fez tudo conforme as instruções de Ester.
>
> Ester 4.15-17

O que aconteceu por meio da submissão de Ester? Ela precisava fazer algo que não estava de acordo com a lei. Ela jejuou e orou e, com isso, obteve a liberação do Senhor. No terceiro dia de jejum, vestiu-se com seus trajes reais e foi até o pátio interno do palácio. O rei a recebeu muito bem e perguntou o que ela desejava. A rainha tinha um plano, que certamente Deus havia lhe dado. Foi um plano de glória, pelo qual ela iria glorificá-lo por meio de todo o processo de expor o complô para matar os judeus — e ela queria que seu marido estivesse presente ao fazer o que tinha planejado. Em um banquete oferecido ao rei e a Hamã, ela atropelou a cultura e a tradição e falou a favor da preservação do povo de Deus. Mais do que isso, ela disse a verdade em amor.

> A rainha Ester respondeu: "Se conto com o favor do rei, e se lhe parecer bem atender meu pedido, poupe

minha vida e a vida de meu povo. Pois eu e meu povo fomos vendidos para sermos destruídos, mortos e aniquilados. Se fosse apenas o caso de termos sido vendidos como escravos, eu teria permanecido calada, pois não teria cabimento perturbar o rei com um assunto de tão pouca importância".

Ester 7.3-4

Ao se portar dessa maneira, a rainha conseguiu que Deus fosse adiante dela. Perceba que Ester nunca deixou de glorificar os homens nesse processo – inclusive os seus inimigos. Até mesmo com Hamã Ester não se portou, em sua presença, como se ele fosse inimigo. Pelo contrário, ela apenas permaneceu em sua posição e fez um pedido ao rei, seu esposo, que a atendeu. O resultado? Os israelitas não foram mortos. Deus a pôs naquele palácio para salvar seu povo.

Desejo destacar um ponto aqui. Sabia que é inteiramente possível para você, mulher, permanecer na sua posição em casa, junto à família, mesmo quando seu marido não age com integridade ou quando ele é ausente do lar? Você não pode fundamentar sua ética ou sua moralidade no que os outros estão fazendo ao seu redor, mas deve manter sua posição, fazendo isso de maneira suave e gentil e não se virando contra seu marido. É isso que temos feito? Em grande escala, não. Nós enfraquecemos a verdade e culpamos os outros. Isso, porém, não liberta a sua família.

Precisamos a todo momento nos lembrar de que fomos feitas a partir do homem e para ele. Nós, seres humanos, somos as únicas criaturas feitas à imagem e semelhança de Deus e, como mulheres, fomos feitas sob medida para outra pessoa. Os animais, por exemplo, não foram criados dessa maneira. A honra de representar Cristo e sua Igreja está reservada apenas para o homem e a mulher. Deus criou o modelo de relacionamento que queria manter conosco depois da redenção, e nós somos as únicas criaturas adequadas para esse modelo de relacionamento.

Sabia que é inteiramente possível para você, mulher, permanecer na sua posição em casa, junto à família, mesmo quando seu marido não age com integridade ou quando ele é ausente do lar?

Nossa reação aos homens deve sempre refletir a glória cabida. Como você tem respondido a eles? Será que é intimidadora, rude, resistente? Será que mantém alguns trejeitos inadequados na presença deles? Se sua postura não tem refletido a glória devida, isso precisa mudar com urgência, pois você tem caminhado fora dos padrões de Deus e não tem edificado nada.

Entenda que há duas áreas principais nas quais os homens se sentem completos: trabalho e amor. Deus os fez dessa maneira, e não devemos vê-los como monstros por conta disso. Quando eles trabalham, sentem-se completos, porque foi isso o que Deus pôs em seu coração para fazer. Eles gostam de ser supridores. O homem sente que glorifica a Deus ao preencher o mandato que o Senhor lhe deu por meio do trabalho. E, quando o homem faz isso, Deus se compraz. Isso é tão verdade que Paulo é enfático ao dizer: "Quando ainda estávamos com vocês, lhes ordenamos: 'Quem não quiser trabalhar não deve comer'" (2Ts 3.10).

O que vemos atualmente na sociedade é justamente o contrário do plano de Deus. Quando caminho pelas ruas, vejo homens que não estão trabalhando. Vá aos bares durante o dia e veja quantas mulheres estão lá. Dificilmente encontrará mulheres, mas vai deparar com montes de homens. Por que isso acontece? Porque o inimigo tem atacado os homens em uma das áreas em que eles se sentem completos ao dar glória a Deus: o trabalho.

Já o amor é a segunda área na qual o homem se sente completo. Como palavra de exortação, vemos na carta de Paulo aos Efésios como homens e mulheres devem zelar pelo casamento, cuidando um do outro:

> Sujeitem-se uns aos outros por temor a Cristo. Esposas, sujeite-se cada uma a seu marido, como ao Senhor. Pois o marido é o cabeça da esposa, como Cristo é o cabeça da igreja. Ele é o Salvador de seu corpo, a igreja. Assim como a igreja se sujeita a Cristo, também vocês, esposas, devem se sujeitar em tudo a seu marido. Maridos, ame cada um a sua esposa, como Cristo amou a igreja. Ele entregou a vida por ela, a fim de torná-la santa, purificando-a ao lavá-la com água por meio da palavra. Assim o fez para apresentá-la a si mesmo como igreja gloriosa, sem mancha, ruga ou qualquer outro defeito, mas santa e sem culpa. Da mesma forma, os maridos devem amar cada um a sua esposa, como amam o próprio corpo, pois o homem que ama sua esposa na verdade ama a si mesmo.
>
> Efésios 5.21-28

Perceba que os trechos referentes ao amor não falam da atitude esperada das mulheres, mas sim dos homens. Por quê? Porque eles refletem a glória de Deus. A Bíblia nos diz que Deus é amor. Se os homens refletem a glória de Deus, logo, eles são distribuidores de amor e, quando amam glorificam a Deus. Se nós, mulheres, refletimos a glória do homem, somos aquelas que respondem a esse amor. Mas o que o inimigo tem feito por meio da dor, do sofrimento e daqueles homens que não refletem a glória de Deus? Ele tem pervertido a nossa habilidade de corresponder a esse amor: ficamos, muitas vezes, assustadas e refratárias ao relacionamento, pois pensamos que seremos machucadas. Isso não pode acontecer. Não podemos refletir a glória do homem a menos que lhe correspondamos. Refletir a glória do homem é estar inclinada a ele, e não na direção oposta, reclusa, acuada, temerosa.

Modelo perfeito

No que se refere à sexualidade, vemos que, da perspectiva da criação, o sexo é a forma mais bonita de a mulher refletir a glória do homem. A moralidade é intrínseca à sexualidade. Muitas vezes ficamos fracas na caminhada e na fé, e começamos a nos distanciar de Deus. E, quando nos distanciamos, paramos de glorificá-lo. O que acontece, então? Pecado sexual. Seu pecado pode começar com grosseria, irritação e ódio, por exemplo, mas há uma enorme probabilidade de que acabe em pecado sexual.

Desde a criação, a forma mais bonita de a mulher refletir a glória do homem é se apresentar como noiva. Assim como somos noivas dos homens, a Igreja é a noiva de Cristo. A forma mais bonita de glorificar a Deus é quando entramos em sua presença despidas de nós mesmas, negando-nos, desejosas de despir-nos por meio da Palavra em sua presença, e dizemos: "Deus, eu te glorifico. Eu te amo, honro, respeito e exalto".

Responder ao homem é uma forma intrínseca de refletir a glória do homem. A sexualidade se torna pura e redimida porque glorificamos a Deus. À parte da ordem de Deus, o que o homem se torna realmente? Ele se torna fraco, instável, dependente. Se não vivemos em obediência, somos fracos e perdemos a autoridade que Deus nos deu. Perdemos o comando.

Assim, da mesma maneira que Deus criou-nos, mulheres, com força, criou-nos com delicadeza, que é um tipo de fraqueza. É importante percebermos que o Senhor não criou o homem com a mesma fraqueza; quando ele está fraco é porque não está na presença de Deus. Ele criou a nossa glória para responder à criação, não a ele. Nós estamos revestidas com a glória de ser femininas, frágeis, responsivas, e Deus fez tudo isso de forma belíssima em nós. Nossa fraqueza, delicadeza e suavidade não ficam bem em um homem,

Nós estamos revestidas com a glória de ser femininas, frágeis, responsivas, e Deus fez tudo isso de forma belíssima em nós. Nossa fraqueza, delicadeza e suavidade não ficam bem em um homem, porque é algo estranho, desprezível.

porque é algo estranho, desprezível. Se um homem se comporta com essas características femininas, não reflete a glória de Deus.

No entanto, a humanidade perverteu esse modelo perfeito por causa do pecado. O inimigo perverteu a intimidade, e isso faz que não amemos apropriadamente quem somos como mulheres. É necessário haver uma restauração de nosso amor por nós mesmas e pelo que somos e representamos. É preciso enxergar a forma incrível como Deus nos criou. Só assim conseguiremos abraçar o que somos e desempenhar o que for preciso para edificar nosso lar, com sabedoria.

O homem, que reflete a glória de Deus, desempenha as funções concernentes ao Criador. E a mulher, que reflete a glória do homem, desempenha as funções concernentes à criatura. Isso significa que o homem é quem inicia e a mulher é a líder que lhe corresponde. Nós estamos propensas a obedecer, somos provedoras, protetoras, dependentes, dispostas a confiar. Para cada função que o homem exerce, há uma correspondente no sexo feminino: pai e mãe; filho e filha; noivo e noiva; marido e mulher; rei e rainha. Todos esses papéis são correspondentes, e é dessa forma que respondemos à humanidade. A verdade equilibrada é que "embora a mulher tenha vindo do homem, o homem nasce da mulher, e tudo vem de Deus" (1Co 11.12). Essa realidade mostra que não somos independentes uns dos outros, mas somamos uns aos outros. Devemos, sim, refletir a glória do homem, e o homem deve refletir a glória de Deus, sem nunca nos esquecermos de que tudo vem daquele que nos criou, o soberano Deus. A Bíblia mostra sempre a relação de homem e mulher como uma via de duas mãos entre pessoas interdependentes. Veja as palavras de Paulo:

> O marido deve satisfazer as necessidades conjugais de sua esposa, e a esposa deve fazer o mesmo por seu marido. A esposa não tem autoridade sobre seu corpo, mas sim o marido. Da mesma forma, não é o marido que tem autoridade sobre seu corpo, mas sim a esposa. Não privem um ao outro de terem relações, a menos que ambos concordem em abster-se da intimidade sexual por certo tempo, a fim de se dedicarem de modo mais pleno à oração. Depois disso, unam-se novamente, para que Satanás não os tente por causa de sua falta de domínio próprio.
>
> 1Coríntios 7.3-5

Mais uma vez, a Palavra mostra que há uma troca. Ninguém pode substituir um ao outro, mas pode ter um ao outro. Homem e mulher são interdependentes, mas não são intercambiáveis. Quando a mulher começa a pensar que é intercambiável com o homem, abre mão de sua glória. A glória depende da habilidade de ser tudo o que Deus queria que você fosse e, se não há o cumprimento da vontade divina, não há glória, mas um abandono do poder dele em sua vida. Isso ocorre quando você se move do propósito de Deus para outro campo e para outra forma de pensar.

Quando pensamos que somos intercambiáveis, temos uma sociedade pervertida. A mais bonita ilustração que conheço para demonstrar a complementaridade de masculino e feminino é a patinação no gelo. O casal de patinadores é uma bonita demonstração do que Deus pretendia com a relação entre gêneros. Ambos, homem e mulher, devem ser fortes patinadores individuais. Não estou falando aqui em a mulher ser fraca ou mais fraca no sentido de que não possa tomar decisões... esse não é o ponto aqui. Ambos nem podem, inclusive, pegar suas roupas para ir às competições sem que os dois sejam igualmente fortes nos patins. Eles têm de se disciplinar, conhecer seus

Homem e mulher são interdependentes, mas não são intercambiáveis. Quando a mulher começa a pensar que é intercambiável com o homem, abre mão de sua glória.

objetivos, trabalhar de forma independente um do outro antes que estejam juntos e, só então, os dois se tornam uma unidade.

Muitas vezes, vemos duas pessoas vivendo juntas na mesma casa, mas, de fato, separadas. Isso ocorre porque vivem juntas de forma independente, em vez de estar independentemente juntas. Independência é bom para qualquer pessoa: você é responsável por sua vida perante Deus, mas, se você se une ao cônjuge, precisa abandonar a si mesma em favor da unidade. O mesmo acontece no Corpo de Cristo. Mas, o que fazemos? Nós nos reunimos e realizamos nossas próprias atividades egoístas. Essa individualização gera uma série de conflitos e pensamentos, como: "Eu, como mulher, não reflito a sua glória, mas, e você, homem? Eu não o vejo refletindo a glória de Deus" ou "Você não está me glorificando, então porque eu teria de glorificar você?" Assim, deixamos de fazer o que é certo aos olhos de Deus porque os homens não estão fazendo o certo por nós. Se for o seu caso, permita-me perguntar: quando acontece a idolatria? A resposta é simples: quando o deus é você, quando você se põe no trono.

Pôr-nos no trono é o que fazemos quando estamos excessivamente preocupadas com o que não estão fazendo por nós. Assim, nos tornamos como um deus: "Eu quero que você me glorifique". E, sabe de uma coisa? Como mulher que deveria refletir a glória do homem, a melhor decisão que eu posso tomar é ser uma encorajadora desse homem que reflete a glória de Deus. Eu não preciso de nenhuma glória. Quando o homem reflete a glória de Deus, eu enxergo a glória de Deus e Deus é exaltado. E quando nós, como mulheres, refletimos a glória do homem, o homem começará a glorificar a Deus. Apenas observe. Temos de ser como a dupla de patinadores: ambos fortes, capazes de realizar as próprias tarefas, e, simultaneamente, nos unindo em movimentos paralelos, por vezes sincronizados. Os pares de patinadores mostram o que o homem e a mulher têm em comum: as posições complementares no trabalho dos pés, um aprendizado em equipe e o tempo necessário para uma colaboração mútua.

Fomos todos feitos à imagem de Deus, mas nossa glória é diferente. É a força do homem que permite a nossa delicadeza. É a combinação de "glórias". Ele representando a glória de Deus, por meio de sua força e seu poder. É ele quem domina e dita as regras e, se a mulher não se submete a essas regras, no momento em que o faz começa a sentir pressão sobre suas costas e não consegue prosseguir.

Quando você estiver ao lado de seu esposo, deixe que ele seja o seu refúgio, o seu lugar secreto, uma fonte de paz. Quando começar a se mover com o homem que está ao seu lado, você se sentirá completa, de uma maneira que nunca experimentou. Você não pode nem sequer conceber em sua mente a completude que sentirá quando se aproximar dele e o deixar exercer a liderança que Deus lhe confiou. E, ao fazê-lo, você estará usando de sabedoria para edificar seu lar.

Vamos orar

Pai amado,

eu te glorifico por seres o Deus que age em minha vida. A ti rendo graças e te louvo por tudo o que tens feito por mim. Eu te agradeço por tua criação, por teres me formado como mulher. Minha oração é para que tu me abençoes e me conduzas a ser uma mulher sábia. Que eu seja uma mulher de glória, assim como Ester foi. Que eu saiba permanecer em minha posição, e que meu comportamento abençoe a quem estiver próximo a mim. Que o meu relacionamento seja digno de glória. Que eu seja sempre ajudadora, como ensina a tua Palavra, disposta a abençoar.

Em nome de Jesus. Amém.

Para refletir

1. Que atitudes você pode tomar para ser uma mulher de glória?

___

___

___

___

___

2. Que lição você aprendeu com Ester? Como pode aplicá-la, hoje, à sua vida?

___

___

___

___

___

3. Você tem trabalhado e aprendido junto com seu cônjuge, assim como os patinadores fazem?

____

____

____

____

____

10

A glória do homem e a feminilidade

O abuso da glória que Deus manifestou na vida do homem e que devemos refletir tornou-se muitas vezes, ao longo da história, fonte de pecado. Ao ler o Antigo Testamento, observamos que o homem se tornou orgulhoso e abusivo e, por essa razão, começou a praticar a poligamia. Quanto mais poderosos os homens ficavam, mais mulheres queriam. Em nossos dias, alguns homens continuam a se comportar desta forma: quanto mais poderosos são, mais mulheres pensam que podem ter. Isso faz que nós, mulheres, precisemos ser sábias e vigilantes quanto a essa questão.

Temos visto pessoas de ambos os sexos usarem sua sexualidade de maneira distanciada do propósito puro e bonito criado originalmente por Deus, o que traz o julgamento do Senhor sobre sua vida. Toda vez que deixamos o padrão divinamente estabelecido para a sexualidade, saímos do escopo da bênção de Deus e nos tornamos réus de seu julgamento.

Como mulheres, temos muito poder. Usamos de nossa sexualidade, esse presente que Deus nos deu, para glorificar e honrar o homem, mas, se a usamos de forma pecaminosa, não apenas destruímos o homem, mas nos destruímos também. Temos de clamar a Deus para que ele nos ajude a usar a sexualidade de maneira adequada. A beleza orgulhosa destrói a glória do homem. Quando você se torna egocêntrica, destrói-se enquanto pessoa que deveria refletir a glória do homem. Preciso tratar de cinco consequências desse egocentrismo feminino prejudicial.

Primeiro, o uso da *beleza como instrumento de poder*. A juventude é a fase da vida em que essa realidade mais fica evidente. Pode ser que você tenha utilizado sua sexualidade como ferramenta para obter poder, a fim de se sentir amada e importante. O problema é que, ao fazer isso, você pode ter provocado um resultado contrário. Esse poder da beleza utilizado como mecanismo de sexualidade pode ter destruído sua beleza, sua segurança, seu amor e seu respeito pelos homens. A mulher que faz de sua beleza e da satisfação pessoal o seu deus cai em idolatria, e isso se torna imoral. Se for o caso, lembre-se: a redenção em Cristo apaga os erros do passado e reconfigura formas equivocadas de utilizar a beleza.

Segundo, *a rejeição da maternidade*. Olhe ao redor, em seus círculos sociais, e repare se isso não tem acontecido. Aconteceu até mesmo comigo, no começo dos anos 1970. Naquela época, com toda a onda de controle de natalidade, ter apenas dois filhos era moda. Então, eu pensei: "Tenho uma filha e um filho. Do que mais eu preciso?" A maior dor em minha vida é que, aos 24 anos de idade, eu decidi não ter mais filhos. Quando eu tinha 28 anos, ainda uma mulher muito jovem, caiu a ficha e me arrependi muito de minha decisão.

A mulher que faz de sua beleza e da satisfação pessoal o seu deus cai em idolatria, e isso se torna imoral.

Terceiro, *a decisão de não amamentar*. É isso o que acontece quando a mulher é seduzida pelo orgulho, focada em si mesma. O que nos torna felizes é o que nos faz sentir plenas em nossa beleza, em nosso intelecto e em nossas próprias realizações. Mas, quando começamos a exaltar a nós mesmas, a dar glórias a nós mesmas, certamente não estamos refletindo a glória do homem, e passamos a permitir que outras coisas se tornem mais importantes que o propósito original de Deus para nós.

Quarto, *ingratidão*. O orgulho faz parte da ingratidão, e a mulher orgulhosa se torna ingrata. Agindo dessa forma, não importa o que ela tenha, nunca será suficiente. A insensibilidade vem à tona e essa mulher nunca se contenta com nada. Dinheiro? Nunca é suficiente. Poder? Nunca é o bastante. *Status*? Nunca é adequado. Essa mulher egocêntrica e ingrata não tem contentamento com o marido que desposou ou com a vida que leva, e isso a faz odiar sua família. É possível edificar um lar desse modo? Claro que não.

A consciência dessa mulher fica cauterizada e isso a leva à obscenidade, à insensibilidade e à insatisfação. Você pode não viver dessa maneira neste momento, mas é possível que haja resíduos por algo que tenha vivido durante certo tempo. A mulher caída vive de forma difícil, pois, quanto mais está em pecado, mais difícil torna-se retornar à sensibilidade. Tudo o que relatei aqui pode acontecer se você permitir que o orgulho e o ódio reinem em seu coração. Não é esse o plano de Deus para você, nem para sua família; o plano dele é que você reflita glória, com integridade.

Quinto, *feiura decorrente do pecado*. A beleza original é absolutamente destruída pela desobediência e, por isso, começamos a buscar louvor para nós mesmas. Passamos a ser nosso próprio deus, e acreditamos que, como tal, devemos ser louvadas. Com isso, nos tornamos ídolos. E, como todo ídolo, feias e odiosas.

Nós, mulheres, não precisamos viver dessa maneira. Deus nos criou bonitas, amáveis e delicadas e, ao viver essas qualidades de maneira correta, nos edificaremos em honra, respeito e glória por onde formos. E, evidentemente, estaremos aptas a edificar nosso lar.

Não seja uma tentação

Ando muito preocupada com a moda em nossos dias. Vejo meninas, adolescentes e jovens nas igrejas ou nas casas de famílias cristãs com roupas que não trazem glória ao homem. Muito pelo contrário, elas se vestem e se comportam de maneira que configura tentação. Se você é mãe, converse com sua filha. Lembre-se de algo muito importante: se você não falar com ela, quem falará?

Não importa se está na moda. Os mamilos de sua filha não podem aparecer sob a roupa, a menos que você queira que as mãos de um homem os toquem, porque essa é a reação deles ao ver algo exposto desse modo, quase como uma oferta. Saias curtíssimas refletirão glória e honra para o homem?

Não! Isso despertará a sua natureza pecaminosa. E, lembre-se: se a idolatria acontece quando nos colocamos em primeiro lugar, em vez de priorizar as coisas de Deus, a situação piora quando induzimos outras pessoas a seguir esse espírito.

Eu não sou legalista. Amo a moda. O que estou dizendo é que qualquer homem de 16 anos olhará com lascívia para sua filha de 13 se ela estiver com as curvas destacadas por baixo das roupas. Se a sua filha estiver vestida de forma imoral, isso os leva à promiscuidade. O que acontece quando temos filhas entre 12 e 13 anos e permitimos que se vistam dessa maneira? Isso atrai a atenção delas para o próprio corpo e, em vez de refletir glória e honra dos garotos, os atrai de forma equivocada para a sexualidade. Quem usa a sexualidade para atrair as pessoas para si pratica idolatria, que, por sua vez, conduz à imoralidade. Esse é o caminho natural. O que você, como mãe, fará a esse respeito?

As mulheres devem refletir a glória do homem, e não ser uma tentação para eles. Como mãe sábia, você precisa orientar sua filha a vestir-se com decoro. Ao fazê-lo, estará edificando o seu lar.

As mulheres devem refletir a glória do homem e não ser uma tentação para eles. Como mãe sábia, você precisa orientar sua filha a vestir-se com decoro. Ao fazê-lo, estará edificando o seu lar.

Nós não éramos símbolos sexuais para os homens antes de nos vestirmos desse jeito. A moda provavelmente está mais difícil para as meninas jovens, porque está mais sensual do que nunca. Isso desperta o questionamento: quem cria a moda? Lembro-me de que, no início dos anos 1980, meu marido e eu estávamos pastoreando uma igreja no Texas e percebemos que as jovens estavam se vestindo a partir de uma moda que seguia a estética do grupo de *rock* Kiss. Por isso, Larry e eu decidimos ir a um *show* dessa banda para ver como era. Nunca estivéramos em um evento como aquele antes. Queríamos entender como era aquele ambiente, pois os pais de jovens de nossa igreja estavam deixando seus filhos irem, e aquela estética estava sendo adotada por eles. Não tínhamos ideia, até aquela noite, do que acontecia no palco. Em vinte minutos, vi e ouvi ali as coisas mais pervertidas que havia ouvido em toda a minha vida. E são pessoas como aqueles homens que projetam a moda. Nós, como mães, precisamos entender que nossas filhas foram criadas para refletir a glória do homem, não para usar o corpo a fim de atrair atenção.

Se os seus filhos adolescentes ou jovens vão a um encontro e ficam se agarrando, se beijando e se abraçando na sua frente, certamente isso não é bom. O que, então, devemos fazer como mães sábias que desejam edificar o lar? Esconder nossa cabeça na areia como um avestruz ou primar por preparar nossas filhas para alguém que as ame de verdade? Por meio de Cristo, a glória de nossa sexualidade é restaurada e aprendemos como nos comportar como belas mulheres. Ao fazer isso, nos tornamos seguras, e a sexualidade, como parte do reflexo da glória do homem, é restaurada.

A mulher que deseja refletir a glória do homem e, assim, cumprir os propósitos divinos, deve usar sua feminilidade da forma correta. Lance fora toda forma vã e manipulativa de falar. Não esconda nada, não manipule. Quem age de forma dissimulada demonstra falta de confiança no homem. Portanto, lance fora todo comportamento manipulador. Aprenda a amar a verdade. Abrace isso. Honre a monogamia.

Caso você me diga, como ouço constantemente, algo na linha "Devi, fui casada três vezes, como vou honrar a monogamia?", minha resposta é: não importa o que aconteceu no passado, você refletirá a glória do homem. Não importa a forma como você falhou, a redenção em Cristo a retira de onde está e a move para um outro nível. Nada no passado importa mais; o que importa a partir de então é o presente. Não sabote o trabalho do Espírito Santo em sua vida.

"Logo, todo aquele que está em Cristo se tornou nova criação. A velha vida acabou, e uma nova vida teve início!" (2Co 5.17). Tudo o que você pensava que não era importante se torna importante por causa do trabalho de Deus. O Senhor não quer dividir seu amor com nenhum ídolo. Ele estabeleceu o padrão para você; não se deixe levar pelo pecado. A redenção remove a rejeição. Deus pode conduzi-la a um relacionamento pelo qual poderá glorificá-lo. Você pode glorificar o homem que Deus colocou ao seu lado com a sexualidade que foi criada por Deus e redimida por Deus. E, assim, desfrutar de sua feminilidade da forma que o Senhor a criou para ser. Como isso é lindo! Permaneça firme contra o adultério e o divórcio. Nem mesmo pense sobre isso. Isso não deve ser jamais uma opção para você!

Não importa a forma como você falhou, a redenção em Cristo a retira de onde está e a move para um outro nível. Nada no passado importa mais; o que importa a partir de então é o presente.

A mulher reflete a glória do homem. Assuma essa posição. E encontre contentamento nessa posição. Se você é casada, fique contente com o que é menos que perfeito, porque nós, os seres humanos, temos resíduos da queda e não seremos perfeitos até o retorno de nosso noivo. Esteja contente com a porção limitada de glória que você tem, agora, em sua sexualidade. Em vez de pensar naquilo que ainda não é ou que poderia ser, glorifique o que é neste exato momento. E lembre-se sempre:

> Porque Deus os chamou para fazerem o bem, mesmo que isso resulte em sofrimento, pois Cristo sofreu por vocês. Ele é seu exemplo; sigam seus passos. Ele nunca pecou, nem enganou ninguém. Não revidou quando foi insultado, nem ameaçou se vingar quando sofreu, mas deixou seu caso nas mãos de Deus, que sempre julga com justiça. Ele mesmo carregou nossos pecados em seu corpo na cruz, a fim de que morrêssemos para o pecado e vivêssemos para a justiça; por suas feridas somos curados.
>
> 1Pedro 2.21-24

Vamos orar

Deus,

entendemos que tu nos criaste para refletir a glória do homem. Se assim formos, tu serás glorificado e honrado por nossos pensamentos, nossas ações e palavras. Peço que o teu Espírito Santo se mova e traga redenção, mudança e entendimento do teu propósito para nós. Rogo que faças o trabalho que eu não posso fazer. Perdoa-nos pelas atitudes negativas que aprendemos com o mundo, por sentir medo, raiva, ódio e amargura. Desejamos nos posicionar de modo a produzir honra e respeito e para manifestar a tua glória ao refletir a glória do homem, seja no uso de nossa beleza, seja na manifestação da feminilidade, seja na prática correta da sensualidade.

Em nome de Jesus. Amém.

Para refletir

1. Você tem usado sua feminilidade para refletir a glória do homem e, assim, a glória de Deus?

____

____

____

____

____

2. Dentre as cinco consequências do egocentrismo que vimos neste capítulo, quais estão presentes em sua vida? O que pretende fazer para solucionar esse problema?

____

____

____

____

____

3. Você ou suas filhas têm sido tentação para os homens? Em caso positivo, o que pretende fazer a respeito?

Conclusão

Ser uma mulher sábia, à luz da Bíblia, é ser uma mulher segundo o coração de Deus, que se submete à vontade do Senhor e procura edificar o seu lar segundo os critérios e os valores bíblicos. Se o Senhor nos delegou essa tarefa com foco primordial, devemos cumpri-la com excelência. O nosso lar é o ambiente em que habitamos, onde estão as pessoas mais importantes de nossa vida; é o nosso santuário mais sagrado. O Senhor nos deu a função de zelar por esse santuário e nos capacitou com as ferramentas necessárias para isso. Ele nos fez à sua imagem e nos qualificou para sermos auxiliadoras idôneas, cuidadosas, exemplares.

Deus nos criou à sua imagem com propósitos bem definidos e devemos nos esmerar por buscar cumpri-los. Para tanto, precisamos compreender exatamente o que é ser sábia segundo os critérios bíblicos, e ter o discernimento necessário para saber separar o que é a sabedoria segundo Deus e o que é a sabedoria aos olhos do mundo. Para isso, devemos nos dedicar a estudar a Palavra de Deus e a ter uma vida de oração e intimidade com o Senhor.

A edificação do lar feita com sabedoria pede que haja um planejamento. É a partir do estabelecimento prévio de como deve ocorrer o processo diário de edificação que as atitudes corretas são tomadas, sempre lembrando que nunca é tarde para que um plano tenha início.

A atmosfera do lar está em constante evolução, mudando para atender às necessidades de uma família em transformação. Métodos, estilos de vida e horários são reorganizados ao longo do tempo. O que não muda é o amor de Deus por você e a paz que ele lhe dá quando você alinha sua vida aos caminhos dele. É por isso que os princípios que apontei são essenciais. "O amor do Senhor não tem fim! Suas misericórdias são inesgotáveis. Grande é sua fidelidade; suas misericórdias se renovam cada manhã" (Lm 3.22-23).

Lembre-se de que nada do que você faz ganha o favor de Deus em sua vida. Você já tem o seu favor. O amor do Senhor por você nunca termina, e ele lhe estende sua misericórdia, quer você mereça, quer não.

Um lar precisa ser edificado sobre o amor, que é a essência de Deus, com base na força de apoio da mulher. O Senhor deu à mulher, feita à sua imagem, todas as características e capacidades de que ela precisa para ser uma coluna forte em seu lar. Nesse sentido, quando ela desempenha bem seu papel, alinhada corretamente ao papel de seu marido e refletindo a glória masculina, o lar é edificado, pois tudo é feito de acordo com a vontade divina. Aprendemos como devemos agir e como ser a glória do homem a partir da nossa feminilidade.

Assuma o seu papel. Seja a mulher sábia que edifica o ambiente em que estiver, em especial o seu lar. Cuide de seus filhos, de seus sobrinhos, de seu esposo; edifique a casa, o trabalho, os amigos, a igreja. Honre ao Senhor. Acredite: é ao cumprir com excelência o plano que Deus tem para você, segundo seu papel de esposa, mãe, mulher, apoiadora, educadora, amante e muito mais, que você conseguirá viver de forma plena e feliz.

Para isso, ore comigo:

Pai amado, submetemos a ti toda rebelião, toda resistência à verdade da tua Palavra. Não tememos o teu querer, mas buscamos o entendimento claro da posição que temos como mulheres, a fim de fazermos o que esperas de nós. Pedimos que não permitas haver nenhuma confusão quanto ao que lemos neste livro, para que consigamos nos tornar mulheres cada vez mais sábias e edificadoras fiéis do lar. Em nome de Jesus. Amém.

Sobre a autora

Devi Titus, casada com Larry Titus há 53 anos, é autora e preletora internacional. É uma comunicadora premiada pela Washington Press Women's Association e fala para centenas de milhares de pessoas todos os anos. Mãe de um casal de filhos, tem seis netos e dez bisnetos. Residente em Dallas/Fort Worth, Texas, Devi viaja extensivamente por todo o mundo.

Como parceiros no ministério, Devi e Larry Titus fundaram a organização internacional *Kingdom Global Ministries*, que atualmente serve mais de quarenta nações, visando a facilitar a missão de dezenas de outros ministérios ao redor do mundo.

Devi é a fundadora do *Titus Home*, antiga *Mansão da Mentoria* e, por meio desse programa, já recebeu mais de mil mulheres para se hospedarem em sua casa por quatro dias, a fim de lhes ensinar princípios bíblicos e práticos acerca do lar.

Devi faz da passagem de Tito 2.3-5 a sua missão de vida para o ministério. Sua paixão é restaurar a dignidade e a santidade do lar e ajudar homens e mulheres a viver uma vida com propósito.

Conheça outras obras de

Devi Titus

- A experiência da mesa
- Ele diz, ela diz — com Larry Titus
- Escolhas inteligentes para melhorar sua vida
- Reflexos da alma — com Ana Paula Valadão e Helena Tannure
- Obediência e intimidade

Anotações

Anotações

Compartilhe suas impressões de leitura escrevendo para:
opiniao-do-leitor@mundocristao.com.br
Acesse nosso *site*: www.mundocristao.com.br

Equipe MC: Maurício Zágari (editor)
Heda Lopes
Natália Custódio
Diagramação: Luciana Di Iorio
Preparação: Helena Quintanilha
Revisão: Cristina Fernandes
Gráfica: Assahi
Fonte: Book Antiqua
Papel: Pólen Natural 70 g/m² (miolo)
Cartão 250 g/m² (capa)